EL DOLOR

DE LOS

INOCENTES

EL DOLOR
DE LOS
INOCENTES

JULIO SCHERER IBARRA

Grijalbo

El dolor de los inocentes

Primera edición: noviembre, 2011

D. R. © 2011, Julio Scherer Ibarra

D. R. © 2011, derechos de edición mundiales en lengua castellana:
Random House Mondadori, S. A. de C. V.
Av. Homero núm. 544, col. Chapultepec Morales,
Delegación Miguel Hidalgo, 11570, México, D. F.

www.rhmx.com.mx

Comentarios sobre la edición y el contenido de este libro a:
megustaleer@rhmx.com.mx

ISBN 978-607-310-713-6

Impreso en México / *Printed in Mexico*

ÍNDICE

Introducción

Los inocentes (sobre todo las madres, las embarazadas y los niños) ya hacen sentir su presencia en el trasfondo de la guerra iniciada por Felipe Calderón hace cuatro años y medio. A decir de algunos, murieron a consecuencia del azar; pero ocurre que el azar es un presente cargado de historia. Ciertamente no fueron casuales la presencia de las Fuerzas Armadas de México en la batida contra el crimen organizado ni la respuesta de los delincuentes a la movilización en su contra. Las personas que han muerto o desaparecido desde el comienzo del conflicto son la cifra incierta de una guerra que ha traído zozobra e incertidumbre al país.

Hoy nadie es capaz de predecir si la guerra se prolongará en el fragor de la refriega terrible o si se apaciguará, poco a poco o de manera súbita. Este libro, en su simple descripción de los hechos, lleva, sin embargo, a una conclusión: la de que tarde o temprano, antes o después, la voz acusadora de los muertos del "azar" y los desaparecidos que no reaparecen habrá de resonar en la República con el clamor de que se haga justicia y se actúe contra los responsables de su tragedia.

Los antecedentes los conocemos todos: después de los comicios del año 2006 y la llamada "guerra sucia" que los caracterizó, plagada de abusos y francos desacatos a las leyes electorales,[1] Felipe Calderón Hinojosa se lanzó contra el crimen organizado, y, especialmente, contra el narcotráfico. En esta guerra vio la oportunidad de acreditarse como un patriota que, desde la Presidencia de la República, velaría como nadie por la seguridad del país. Comandante supremo de las Fuerzas Armadas, recurrió al Ejército y la Marina para luchar contra los cárteles de la droga.

Sin embargo, el tiempo demostraría que el presidente, al comenzar su mandato, no tenía noción del conflicto descomunal que desataría en la República. De los cárteles nada sabía; del narcotráfico enquistado en las altas y bajas esferas del país tampoco tenía noticia. Pronto ofrecería el espectáculo lamentable del hombre que camina entre la bruma y regiría su

[1] Véase Julio Scherer Ibarra y Jenaro Villamil, *La guerra sucia de 2006*, México, Grijalbo, 2007.

actuación como gobernante en principios distantes de la descarnada política. En los hechos, afirmaría que la violencia se combate con la violencia y que a la postre habría de ganar el más fuerte, en este caso, el Estado.

Las consecuencias que siguieron a esta conducta pública implican una alta responsabilidad por parte de la cabeza del Ejecutivo. Si el Estado es el titular exclusivo y legítimo de la fuerza, es inevitable, como corolario, que el uso de la desmesurada capacidad bélica de la autoridad debe contemplarse con prudencia. El recurso de las Fuerzas Armadas, el gran aval del gobierno, subraya el fracaso de una política capaz de ofrecer los niveles mínimos de seguridad y bienestar a los que el pueblo tiene cabal derecho. El Estado, sin más, apostó a su mejor carta y así, automáticamente, devaluó el resto de la baraja.

Si bien es formalmente legítima, la utilización de la fuerza pública puede convertirse, en los hechos, en otra forma extrema de violencia. El poder no debe ir más allá de los parámetros éticos y jurídicos que distinguen a un Estado de derecho, de suerte que violentar o menospreciar estos límites daría origen a un quiebre paulatino de las instituciones, fundamento real y visible del Estado de derecho. Se ha dicho, y con razón, que si las instituciones caminan, el Estado marcha.

Este libro presenta un análisis jurídico-político del plan nacional diseñado y puesto en marcha por el gobierno de Felipe Calderón Hinojosa para doblegar a las organizaciones criminales que asolan amplias zonas de la República. En sus páginas se analizan conceptos sobre la necesidad del orden y de una política de seguridad eficiente y transparente; se estudian los marcos político y jurídico que informaron la decisión tomada por el Ejecutivo de lanzar al Ejército como único frente para el combate a la delincuencia organizada, y se estudian las responsabilidades políticas y jurídicas derivadas de dicha decisión.

En los años que ha durado la guerra decretada por Felipe Calderón han muerto más de 50 mil personas y desaparecido más de 10 mil. Por acción, por omisión o por las razones que se quiera esgrimir, pesa sobre el Ejecutivo federal y su gobierno la carga de responsabilidades ineludibles.

1. Orden y seguridad

El Estado y la fuerza pública

En el siglo XVIII, Montesquieu sostuvo que el equilibrio del poder en cualquier gobierno queda garantizado por los límites impuestos a las autoridades. A partir de esta consideración, es válido afirmar que el ejercicio del poder por parte de los gobernantes debe estar sustentado en los márgenes que la propia ley determina. Una palabra más allá de estos términos estrictos daría pie a la especie más grotesca del ilícito: el abuso de autoridad y su compañera de siempre, la impunidad. En esos excesos se encuentra el primer peldaño de la escalera delictiva que se ha extendido hasta hacerse de cómplices por dos líneas inseparables: la consumación del delito por omisión o por comisión.

La Constitución del estado de Virginia, cuya redacción a cargo de George Mason y James Madison concluyó el 21 de junio de 1776, es considerada por muchos como la primera declaración de los derechos de los norteamericanos. En ella se señala que el gobierno debe ser "instituido para la utilidad pública, la protección y la seguridad del pueblo" (art. 3°). Asimismo, se indica que "la garantía de los derechos del hombre y el ciudadano necesita una fuerza pública; esta fuerza es instituida para el beneficio de todos y no para la utilidad particular de aquellos a quienes está confiada" (art. 12).

Tiempo después, Emmanuel-Joseph Sieyès, en su proyecto de constitución para Francia, declaraba que "todos aquellos encargados de ejecutar sus leyes, aquellos que ejercen alguna suerte de autoridad o poder público, deben hallarse imposibilitados de atentar contra la libertad de los ciudadanos". No está de más decir que, justamente, sólo la libertad individual, limitada frente a los derechos del otro, garantiza la seguridad pública, esto es, el sentimiento inefable de que se puede vivir en paz.

En tanto condición para la libertad individual y pública, la seguridad constituye el fundamento político para la legitimidad del Estado moderno: éste no podría entenderse sin la salvaguarda de un clima que permita vivir en armonía. Ello determina, asimismo, que la fuerza pública ha de imponerse en ocasiones frente al peligro de su vulnerabilidad. El Estado ha de conservarse poderoso en la ley, que constituye a la vez su escudo y su pasaporte a lo mejor de la historia del hombre.

Sin embargo, la necesidad de seguridad y la protección de la libertad individual da origen a un gran dilema: el de cuándo y cómo ha de recurrir la autoridad a la fuerza pública. Resulta innecesario decir que a este dilema crucial sólo se enfrentan los gobernantes que se educan en la democracia.

En lo que se refiere al Estado moderno liberal, haría falta precisar los límites y alcances históricos del orden público. En algún momento el asunto dio origen a una idea consagrada: la "razón de Estado", personalísima en su origen y lamentable en su esencia. Ésta no era sino la carta blanca en manos de gobernantes sin escrúpulos ni conciencia para emplear a su arbitrio a la fuerza pública. Con el tiempo, venturosamente, la razón de Estado fue perdiendo su vigor original y terminó por suplírsela con el Estado de derecho.

Cuando impera la lógica de la razón de Estado, "el orden público puede verse como una finalidad de los detentadores del poder. Reducir a los adversarios al silencio, asegurar la dominación del dictador del

partido, es el objetivo de las políticas policiales".[1]
Si el empleo de la fuerza pública carece de sustento
jurídico y político, el riesgo de una confrontación
entre el Estado de derecho y la represión se vuelve
inminente. En el rigor de las ideas, es válido agregar
que, tarde o temprano, este riesgo será fatal. En los
tiempos de crisis éstas son las tentaciones que el gobernante ha de rehuir en virtud de su compromiso
con la justicia y la equidad, pues para cumplirlo sólo
cuenta con la ley, esto es, la observancia del Estado
de derecho.

La historia enseña que de la represión nace, antes o después, la reivindicación social a cargo de los
pueblos que rechazan el dominio de algunos sobre
el destino de muchos. Los imperios, máximos ex-
ponentes de la represión tiránica, son ejemplos in-
discutibles. No hay genio ni aparato del mal, por
implacable que sea, capaz de resistir un milenio.
A este respecto, Luigi Ferrajoli sostiene:

La idea común es que la inseguridad ha crecido; con-
trariamente a los hechos reales, es la inseguridad aso-
ciada normalmente a los pobres, a los migrantes, a los

[1] Jean Jacques Gleizal, *Le désordre policier*, París, PUF, 1985,
p. 112.

16

clandestinos. Esta política del miedo, esta fábrica del miedo que es la televisión y también la política, sobre todo de la derecha, pero también de la izquierda, han constatado que el miedo es la principal fuente del consenso político.

El miedo es un recurso de la legitimación cuando no se puede hacer frente a los problemas, cuando la inseguridad social, la inseguridad del trabajo, la inseguridad del futuro, la inseguridad de la salud, la falta de garantías de derechos sociales, produce la inseguridad social.[2]

En suma, la presencia de la fuerza material del Estado, dondequiera que sea, deberá estar apoyada en un sistema jurídico que permita el rápido restablecimiento del orden legal, y toda decisión gubernamental que opte por la utilización de la fuerza física ha de adaptarse a las reglas que dicho sistema establece. Más aún: si el fin del Estado es la convivencia de todas las personas e instituciones en su vastedad ilimitada, es claro que todo bien personal o social ha de sustentarse en el derecho.

[2] Luigi Ferrajoli, *Garantismo y derecho penal*, México, Instituto de Formación Profesional de la PGJDF/Libijus (Debates de Derecho Penal), 2010, p. 49.

En consecuencia, los gobernantes han de atender, sobre todo, al sistema jurídico al que pertenecen y que les permite la protección y plena validez de la seguridad pública. Por principio, la violencia desatada por el Estado ha de restringirse al mínimo posible. Esto no ha ocurrido en nuestro país, donde la guerra se ha prolongado ya cuatro años sin que se le vea fin, a costa de miles de inocentes. Sin duda, un conflicto interminable desgasta y crea un desasosiego que se traduce en la quiebra de valores permanentes, si nos atenemos al mérito solar de la convivencia pacífica y creadora.

En esta línea de pensamiento resulta fundamental exigir que el Estado, en su lucha contra el crimen organizado, no multiplique los males que ya ha sembrado. A él le corresponde definir las conductas, esto es, las situaciones que deban ser constreñidas legalmente para salvaguardar el orden. Por otra parte, compete a los gobernantes ajustar su conducta al dictado de las normas establecidas por la autoridad, y al conjunto del gobierno y los ciudadanos los obliga el cumplimiento estricto de la ley, que impedirá excesos y desmanes, vinieran de donde viniesen. Citemos de nuevo a Ferrajoli:

El principio de legalidad, ante todo, señala que se pueden punir solamente los hechos que se ha convenido considerar delitos. Ésta es la gran conquista de la modernidad, respecto a una tradición jurisprudencial en la cual derecho y moral eran confundidos. El juez aplicaba su opinión sobre la base de los precedentes de la doctrina y sobre la base de una idea ontológica del mal. Esto era equivalente a su arbitrio. El principio de Hobbes *auctoritas non veritas, veritas hypothetica facit legem* sustituye al viejo principio iusnaturalista *veritas non auctoritas facit legem*, que garantiza la certidumbre y también la igualdad, así como el sometimiento a nuestra ley y la limitación del poder judicial. Como decía Montesquieu, "somos libres solamente si sabemos que sólo algunos hechos son susceptibles de punición".[3]

En resumen, y en vista de la decisión por parte de la autoridad de recurrir a las Fuerzas Armadas para acosar y dominar al crimen organizado, se antoja cuesta arriba imaginar un futuro que concilie la libertad con el orden, a sabiendas de que no hay causa superior al ejercicio pleno del ciudadano en su co-

---

[3] *Ibid.*, pp. 26-27.

tidiano e insustituible vivir. No está de más insistir que la libertad es comparable al recorrido de la sangre por el cuerpo social, y que este viaje incesante ha de contar con oxígeno puro, sin contaminaciones. Y en el ente social no hay mayor contaminación que el abuso del poder: no hay peor mal que el de la actuación sin limitantes.

Establecidos estos puntos acerca del Estado como guardián de la seguridad y la libertad de los ciudadanos, pasemos a hablar de su papel como garante del orden. La vigencia del orden en una comunidad se explica a partir de la natural convivencia entre la sociedad y las autoridades, más allá de contratiempos y contrariedades de los que nadie está a salvo. No podría ser de otro modo, porque en la comunidad existe un sinnúmero de intereses contrapuestos entre individuos, grupos e instituciones, y corresponde al Estado velar por la armonía entre todos ellos. Sólo en el orden, y bajo el amparo de leyes y propósitos que propicien y alienten la libertad, puede una nación crecer y desarrollarse bajo los mejores auspicios.

En estas circunstancias, compete a los gobernantes establecer las normas que hagan posible resolver los conflictos de manera óptima, siempre bajo un claro principio rector. Repetimos: nada significa tanto para el ser humano como la libertad; por ella se da la vida. Asimismo, corresponde a la autoridad crear y mantener sistemas que salvaguarden la sana relación en el inacabable juego de los contrarios. De aquí que se tenga por cierto que la política es una actividad a la altura del arte, la plenitud de la armonía. En 1919, en Rusia, se oía decir, convocada la utopía: "Hagamos de la ética (la política) una estética". Podríamos decir también hoy: "Hagamos de la convivencia la plenitud que se sueña con una palabra: *armonía*".

Resulta claro, por otra parte, que el Estado desempeña un papel esencial en el equilibrio de los intereses particulares y públicos, pero sólo si se ha preservado como poder legítimo. En otros términos, una autoridad, para serlo, ha de contar con el reconocimiento público. Al respecto, Max Weber expresa lo siguiente:

> ...sólo hablaremos [...] de una "validez" de este orden cuando la orientación de hecho por aquellas máximas tiene lugar porque en algún grado significativo (es decir, en un grado que pese prácticamente) aparecen válidas para la acción, es decir, como obligatorias o como modelos de conducta. De hecho, la orientación de la acción por un *orden* tiene lugar en

los partícipes por muy diversos motivos. Pero la circunstancia de que, al lado de los otros motivos, por lo menos para una parte de los actores aparezca ese *orden* como obligatorio o como modelo, o sea, como algo que *debe ser*, acrecienta la probabilidad de que la acción se oriente por él, y eso en un grado considerable. Un orden sostenido sólo por motivos racionales de fin es, en general, mucho más frágil que otro que provenga de una orientación hacia él mantenida únicamente por la fuerza de la costumbre, por el arraigo de una conducta; la cual es, con mucho, la forma más frecuente de la actitud íntima. Pero todavía es mucho más frágil comparado con aquel orden que aparezca con el prestigio de ser obligatorio y modelo, es decir, con el prestigio de la *legitimidad*.[4]

La conclusión se impone con la naturalidad de la evidencia: sin una política que concilie intereses y se exprese con claridad y autoridad, el orden social es inviable. El Estado existe sólo por las leyes a las que da sustento, pero siempre y cuando la sociedad reconozca en su aplicación escrupulosa la vía para al-

[4] Max Weber, *Economía y sociedad. Esbozo de sociología comprensiva*, México, FCE, 16ª reimpr., 2005, pp. 25-26.

canzar las metas de una existencia gratificante abierta al futuro. En este sentido, la ley da certeza: otra palabra clave para vivir. Sin certeza la existencia pierde su luz, pues se abre a la duda y el temor. En otros términos, la certeza en la ley ha de verse acompañada de la legitimidad de sus gobernantes, hombres y mujeres que ejerzan y hagan cumplir la norma, y a quienes se les reconozca mayoritariamente el derecho de ese ejercicio.

Una ley, un acto de gobierno o una política de Estado han de ser socialmente reconocidas sin temor alguno. La ley es luminosa si conjuga la aceptación de dos partes convencidas de su valor eminente: quien la ejerce y quien la acata sin violencia. Por el contrario, la ley impuesta es en sí misma nociva y corre un riesgo grave en cuanto se manifiesta en la inconformidad pública, coarta la libertad y atenta contra la dignidad de la persona y la sociedad en su conjunto. Una visión turbia del Estado trae como resultado el temor, tan limitante y peligroso para quien lo ejerce como para quien lo padece.

En relación con lo expuesto, Beatriz Eugenia Ramírez Saavedra (especialista en inteligencia aplicada a la seguridad nacional y pública, socióloga por la UNAM y maestra en administración militar para la seguridad y defensa nacional por el Colegio de Defensa Nacional) plantea lo siguiente:

> Para Max Weber el rasgo característico del Estado, como forma de organización y activación de la cooperación social dentro de un territorio determinado, es el monopolio de la violencia física legítima. Se trata de un poder autónomo que pueda hacer uso de la fuerza en forma legítima y, en eso, en la legitimidad, reside, precisamente, su efectividad, con lo cual se acepta que el poderío de la fuerza no reside en su capacidad de destrucción, sino en el sentido de uso, en la finalidad que persigue.[5]

En resumen: sin las condiciones políticas de legitimación por cuenta de la autoridad, todo programa de gobierno corre el peligro de un terminante rechazo. Pero éste sería aún más drástico si el plan de gobierno se apoyara en la utilización de la fuerza pública como instrumento idóneo para la solución de los problemas sociales. La delincuencia, como

---

[5] Beatriz Eugenia Ramírez Saavedra, "¿Endurecer o democratizar la política de seguridad pública?", *Criminogenesis. Revista Especializada en Criminología y Derecho Penal*, núm. 2 (febrero de 2008), p. 169.

extenuante problema social, requiere de otra visión política y humana para enfrentarla con éxito. Y en el caso de nuestro país no tenemos duda: la sociedad expresa con beneplácito su repudio a las organizaciones delincuenciales que trastornan su estabilidad, pero paralelo repudio le merece una política de gobierno que propone, como solución a la violencia generada, la utilización sistemática de las armas.

A las Fuerzas Armadas se les abren las puertas de los cuarteles para que cumplan con las tareas que se les tienen asignadas: la defensa de la soberanía nacional, las labores de rescate y restablecimiento del orden como respuesta a las catástrofes naturales, y la preservación de la paz social en su expresión más profunda. Pero nada de esto les será posible cumplirlo a plenitud si se ocupan en el combate cruento a la delincuencia organizada, que reclama el máximo esfuerzo por parte del Estado.

En este marco queda de manifiesto que toda decisión de gobierno deberá atender, antes que nada, al cabal cumplimiento con la ley y la aceptación expresa de las más altas instancias públicas, como las que se expresan desde el Congreso y los partidos políticos. El que esto no ocurra, el que los gobernantes actúen sin observar estrictamente la ley, tiene un costo altísimo para el Estado: ir para abajo, siempre para abajo, más y más abajo.

La política de seguridad en México

En el ejercicio de las facultades que la Constitución le otorga, el titular del Ejecutivo federal argumentó que no cabía otra solución para restablecer la seguridad del país que el combate frontal contra el crimen organizado, esencialmente el narcotráfico. En estas condiciones, como titular del Poder Ejecutivo y representante de la República, decidió unilateralmente ordenar el combate que, según su criterio, nos llevaría con paso seguro a la paz social. Entonces se inició la guerra que hoy causa alarma en el país. En este caso, sin duda alguna, el presidente Calderón podía disponer de las Fuerzas Armadas (atendiendo al monopolio sobre la violencia física legítima que detenta el Estado), y así lo hizo. Sin embargo, no sólo entró en su esquema la fuerza militar: como veremos, involucró también a la Policía Federal, sin que hasta ahora se hayan definido claramente cuáles son sus funciones y la tarea que ha de acometer.

Para este uso de la fuerza armada militar y policiaca no ha habido más estrategia que la dispuesta en la cúspide que gobierna: Calderón decidió ante sí y por sí emprender el combate contra el narcotráfico y los espacios ganados por la delincuencia. Desgraciadamente, los resultados han ido muy lejos de sus cálculos: la batalla clave de su gobierno se ha ido traduciendo en una guerra con su cauda inacabable de sufrimientos, en la que día a día se suman los muertos a los muertos, los desaparecidos a los desaparecidos, los mutilados a los mutilados. Así, la incertidumbre producida por la pérdida de tantos inocentes se ha traducido —para decirlo dramáticamente— en un callejón sin salida. Calderón ha ido cerrando sus espacios de maniobra, una vez agotada la acción de la política, a la que tardíamente ha tratado de recurrir.

Sin claridad en los métodos y las formas para abatir el crimen organizado en sus múltiples facetas, el gobierno ha ponderado la fuerza antes que el análisis de las causas endógenas y patógenas del problema. Lejos de buscar la solución integral a un desorden que crece, ha pretendido reducir el combate a la mera acción de la fuerza. En la estrategia gubernamental se ha pasado por alto que en la salvaguarda de la tranquilidad existen imponderables vías paralelas, entre otras, la limpieza en el propio régimen. En ningún momento se ha escuchado una voz oficial que haga saber que su atención está puesta sobre todo en el futuro, y que en su prioridad conjunta se conjugan la justicia, la educación, la salud, la convivencia creativa, el gusto legítimo por la vida y el número sin término de las motivaciones que acerquen al pueblo mexicano a una razonable plenitud y equidad. Felipe Calderón no ha establecido un programa que él podría haber encabezado en la lúcida compañía de hombres y mujeres sobresalientes en el país. Más todavía: en su gabinete no figuran personajes de prestigio notable. Pareciera como si, de pronto, los hombres y mujeres de excelencia se hubieran apartado de palacio.

Ha sido notoria, en fin, la ausencia de un plan global para elevar la calidad de vida en la República. Día tras día advertimos que la prioridad avasalladora descansa en el combate a la delincuencia, el poder físico, la fuerza de las armas. Por el camino de los hechos, el gobierno federal ha ido construyendo un Estado que se aproxima peligrosamente al policiaco. Se extraña el recurso político en un gobierno que heredó, sobre todo, años y años de un priísmo asfixiante. El cambio de inquilino en Los Pinos, de Fox a Calderón, de poco o nada ha servido a la nación.

Analistas notables, como el doctor Lorenzo Meyer, se han pronunciado acerca de estos temas. En palabras del historiador, resulta oportuna la cita:

Desde diciembre de 2006, la política más importante del gobierno de Felipe Calderón ha sido el combate a las organizaciones de narcotraficantes con el uso de las Fuerzas Armadas. Calderón ha concentrado la energía del gobierno en localizar, eliminar, arrestar o deportar a ciertos jefes de los cárteles, enfrentar a sicarios cuando la ocasión se presenta, interceptar cargamentos de drogas y destruir plantíos y laboratorios.

Sin embargo, esta diligencia en el combate a las manifestaciones más violentas del narcotráfico —la poda de ramas de un árbol muy frondoso— no ha sido acompañada de otra política aún más importante: el diagnóstico cabal del mal y el ataque a sus razones últimas...[6]

Además, en sus intervenciones no ha llevado Calderón tranquilidad a la sociedad, ni ha sabido —o podido— difundir noticias acerca de la acción benemérita del Ejército fuera de los cuarteles. Por si

[6] Lorenzo Meyer, "Andarse por las ramas y olvidar las raíces", *Reforma*, 5 de mayo de 2011.

no bastara lo anterior, las Fuerzas Armadas han impuesto el verde olivo a poblaciones que, ciertamente, no contaban con incorporar su opacidad al paisaje cotidiano.

Grave es el problema de la inseguridad, pero grave es también el rezago que padecemos en lo que concierne a la salud, la educación, la cultura, el horizonte que nos estrecha como nación. Vamos para atrás, dolorosamente: en nuestro país de 110 millones de habitantes, nos consta que faltan hospitales, centros de salud equipados como debe ser, clínicas con algo más que alcohol, algodones y aspirinas. Y por cuanto hace a la educación, su rezago nos va llevando a posiciones vergonzosas. Ni siquiera podríamos levantar la bandera blanca de una nación sin analfabetos funcionales.

En cuanto a la cuestión lacerante de la seguridad pública, el descomunal problema que representa no debería ser tratado únicamente por los órganos de administración y procuración de justicia. Al respecto, son válidas las palabras del maestro Sergio García Ramírez:

Ni siquiera la policía, instituida para la prevención del delito, puede ser cargada con la tarea, descomunal para ella, de responder por la seguridad pública en las ciudades, el campo, el país entero. Si queremos identificar este problema y aportarle soluciones tan razonables como eficaces, antes —mucho antes— de establecer los deberes de la policía y de confiar todo el trabajo a ésta, sería preciso fijar un catálogo de factores cuya eficacia milita en favor de la seguridad y cuya deficiencia deja a la sociedad en riesgo. Habrá que referirse, así, a la seguridad pública en función de la economía, de la educación, de la cultura, de la salud, de la democracia...[7]

El propio Meyer expresa, acerca de la delincuencia, que ésta podría irse doblegando no a través de una acción, sino de varias concebidas orgánicamente y en colaboración estrecha entre el gobierno y la sociedad:

...lo lógico sería esperar que los gobiernos, especialmente el teóricamente más interesado y con mayores recursos —el norteamericano—, ya hubieran elaborado una teoría sólida sobre las causas primarias de

---

[7] Sergio García Ramírez, *Poder Judicial y Ministerio Público*, México, Porrúa, 1996, p. 237.

las adicciones y hubieran concentrado sus esfuerzos no tanto en andar destruyendo plantíos, persiguiendo a capos o metiendo en la cárcel a consumidores, sino en eliminar o minimizar las causas sociales y psicológicas que han dado origen a toda la cadena del narcotráfico. Sin embargo, ése no ha sido el caso. Washington, Los Pinos y muchos otros centros de decisión siguen centrando su energía en combatir los resultados y no las razones del fenómeno.

A estas alturas, lo urgente es detener la expansión del crimen organizado, pero lo realmente importante es llegar a un consenso, producto de un análisis científico lo más sólido posible, que explique las razones por las cuales comunidades rurales enteras optan por ser productoras de amapola o marihuana, saber el conjunto de factores que han llevado a miles de jóvenes a enrolarse en los ejércitos de sicarios hasta convertirse en torturadores y asesinos bestiales, y determinar las causas que llevan a un habitante de un barrio pobre, a un estudiante clasemediero o a un ejecutivo exitoso a usar drogas como vía para escapar de sus respectivas realidades. Sólo tras determinar las causas profundas se puede dar con seguridad el siguiente paso: diseñar auténticas alternativas económicas y culturales para los actuales y potenciales productores, comercializadores y consumidores de sustancias que demostrablemente son más destructivas que las adicciones legales como el tabaco y el alcohol...[8]

El gobierno federal ha reducido, incluso, los objetivos que justifican la existencia de la policía, pues no la ha considerado en sus planes, siquiera con fines de disuasión de los ilícitos. Detrás de la acción policiaca no se miran estrategias didácticas, formas de educación ciudadana para agruparse contra un mal común.

Más allá de las razones o sinrazones de la guerra contra el crimen organizado, la presencia del Ejército en numerosos puntos del país debía verse como una medida transitoria. Hoy, sin embargo, se ha llegado a una situación por demás irregular, y nada es más deseable para el equilibrio social que el retorno a la ansiada normalidad. No habría manera de disentir acerca de los múltiples beneficios que trae consigo la regularidad de una sociedad que se mueve tranquila, en paz, que vive su propio destino con la naturalidad de la respiración constante. La paz interior de

[8] Lorenzo Meyer, *op. cit.*

las personas, así como la tranquilidad externa de la sociedad, hablan elocuentemente de lo que significa, en su profundidad, el Estado de derecho. Una palabra lo explicaría: *salud*, la conjunción de los órganos del cuerpo en armónico funcionamiento.

El 2 de enero de 2009, Felipe Calderón pronunció estas palabras promisorias: "El Estado desarrollará políticas en materia de prevención social del delito con carácter integral, sobre las causas que generan la comisión de delitos y conductas antisociales, así como programas y acciones para fomentar en la sociedad valores culturales y cívicos que induzcan el respeto a la legalidad". No habría manera de objetar una posición tan clara respecto a la concepción de Estado y sociedad.

Sin embargo, en medio del aluvión político que se dejaba sentir en el país, aquellas líneas quedaron inscritas en el cementerio de las letras muertas. El tema de la violencia se imponía por sobre todos y comenzaba a cerrar las puertas que hubieran permitido una política de Estado para enfrentar la tragedia que se asoma, cada día más poderosa, en nuestro futuro.

Quizás obsesionado, con su prestigio ya en entredicho, Felipe Calderón eludió la gran convocatoria nacional para que la sociedad y el gobierno enfrentaran, en lo posible, al crimen organizado. El presidente se equivocó al plantear un proyecto excluyente, que hubiera hecho de los ciudadanos partícipes de la estrategia y no sólo víctimas inocentes. Después de la crisis de legitimidad causada por la "guerra sucia" en la elección de 2006, el llamado a todos los sectores del país para abatir el narco le habría hecho un bien inmenso como persona y gobernante, y también al resto de los mexicanos. Se ha escrito y reescrito que la ilegitimidad en su ascenso al poder le creó al mandatario un conflicto interno, una crisis personal que daría al traste con el equilibrio severo y emocional del que tanto necesitan los hombres y las mujeres del poder público, para su bien o su perdición en el juicio supremo de la historia irreversible.

Confundido, en crisis, el propio Calderón llegó a desdecirse y negó que hubiera pronunciado la palabra *guerra* al plantear su estrategia de seguridad.[9] El rechazo a esta afirmación que carecía de verdad, pero que era reveladora en sí misma de una conducta, desató comentarios adversos en su contra, muchos identificados con el menosprecio. Al recordar este empleo desafortunado y reiterado de la palabra

[9] Véase el apéndice.

guerra para definir la acción contra el narcotráfico vale la pena citar nuevamente a Luigi Ferrajoli:

> El derecho penal del enemigo es una fórmula que introduce la lógica de la guerra en el derecho, cuando el derecho es la negación de la guerra y la guerra la negación del derecho.
>
> Yo creo que el fracaso de esta lógica de guerra, que se ha manifestado sobre todo en la guerra contra el terrorismo, consiste en el hecho de que la guerra y la lógica de guerra han producido la caída de esta asimetría entre derecho y criminalidad. La guerra eleva al terrorista al nivel del Estado o baja al Estado al nivel del terrorista (lo cual es como echarle gasolina al fuego).[10]

De vuelta al círculo cerrado en que ha vivido el país, hoy se ve claramente que Felipe Calderón redujo su propia capacidad de maniobra cuando apostó todo a la lucha armada contra el narcotráfico. Disminuyó esa posibilidad en sus manos porque *todo* fue para las Fuerzas Armadas, a tal grado que el árbol ocultó la magnificencia del bosque.

---

[10] Luigi Ferrajoli, *op. cit.*, pp. 45-46.

La decisión de guerra, pues, mermó las posibles soluciones integrales al problema, aisló al presidente, le impidió recuperar la legitimidad y estorbó su capacidad de maniobra. Conviene analizar a continuación el marco político y jurídico en los cuales el titular del Ejecutivo decidió asumir y defender esa decisión.

2. El marco político de la guerra

Está de más afirmar que todo acto de gobierno ha de obedecer a una política ordenada frente a los problemas inmensos que padece el país. Huelga decir, también, que sin un análisis previo a la toma de las resoluciones que pudieran llevar al bienestar de los mexicanos, se corre el peligro de caer en una confusión crítica de valores entre los extremos de la libertad y la represión.

En todo Estado moderno, la autoridad ha de justificar su conducta a partir del respeto irrestricto a la ley y del empeño para abatir el rezago que traen consigo la inequidad y la injusticia. Pero esto no implica que pueda actuar a su arbitrio, como cuando se justificaban las políticas públicas por gracia de la "razón de Estado": por el contrario, hoy día cuenta con normas, principios y leyes que ha de respetar con celo. De no ser así, las decisiones torpes o precipitadas traerían consigo un desorden político y social contrario al interés común.

Pero aun antes del análisis pormenorizado de una decisión trascendental por cuenta del gobierno federal, resulta pertinente revisar, desde el punto de vista teórico, las condiciones políticas que vive el país. Frente al cuadro que intentamos describir, no estarían de más la cautela y la prudencia llevadas al límite a la hora de la prueba, esto es, en el momento de tomar una decisión que podría cambiar drásticamente el escenario nacional.

El estado poselectoral

Desde el momento mismo de su toma de protesta como presidente de la República, a Felipe Calderón Hinojosa le fue claro que debería asumir medidas urgentes para vestirse como un real e inequívoco representante y guía de la nación. Sabía sin duda, igual que millones de mexicanos, que lo había llevado al poder una elección cuestionada, confusa y turbia. Sin seguridad en sí mismo, su trabajo de gobierno le resultaría cuesta arriba. Calderón, entonces, se hizo el propósito de gobernar con el sol de frente.

Su toma de protesta fue bochornosa, síntesis de la aberración y el descaro ante un país absorto por la grosería política con la que se llevó a cabo la transición del mando. Apenas haría falta revivir la escena en todos sus detalles: baste recordarlo escondido entre oficiales, expresando un "Sí, protesto" inolvidable para mal de su biografía y de la historia de la nación.

Desde ese momento, las sombras que pretendería desvanecer se volvieron más compactas. En esta crítica circunstancia, Calderón consideró que una política heroica lo llevaría al corazón de los mexicanos; esta política no sería otra que el abatimiento radical del narco. Pero no ocurrió así, y el fenómeno podría explicarse de la siguiente manera: la conducta heroica requiere de héroes y de un contexto que los haga posibles. Un héroe se forja en el sacrificio, esto es, en el don de sí mismo; no tiene razones ni pretextos y mira la muerte como el fin natural de su existencia. En nuestro caso, por el contrario, la metáfora shakespeareana (*Julio César*) del huevo de la serpiente cobra toda su fuerza: Calderón equivocaba el camino a partir de un lamentable impulso: la búsqueda de su éxito personal.

Calderón se vio a sí mismo con claridad: debía tomar la iniciativa y anticiparse a una posible reacción en su contra por parte de grupos inconformes con la turbiedad electoral que lo había llevado a la Presidencia de la República. Quería la banda, pero limpia, impecable; quería que se olvidara la escena brutal en la que le había sido impuesta por Jorge Zermeño.

Del comportamiento de Calderón se desprende, asimismo, que le preocupaban el fortalecimiento paulatino del Partido Revolucionario Institucional y el peso que representaría y representaba ya dicha agrupación en el equilibrio de poderes. Temía los pasos sesgados en su propio territorio y la eventual revancha frente a la frase de Vicente Fox: "Ya es hora de cosechar y de sacar al PRI de Los Pinos".

En resumen, el mandatario trazó su estrategia en dos vertientes: hacerle saber al país que no había más presidente que Felipe Calderón Hinojosa y mostrar que en la lucha contra el narcotráfico saldría victorioso y limpio: era impensable el fracaso. Sin embargo, mucho antes de lo que podría haber imaginado, Calderón advertiría la magnitud de los problemas en que se había metido. De acuerdo con sus propias palabras, el cáncer que tanto lastimaba al cuerpo social del país era mucho más grande y poderoso de lo que pudo haber supuesto. Resultó claro que su estrategia quedaba corta frente a las expectativas que había levantado en la República: caía la noche sobre Los Pinos, los inocentes muertos y desaparecidos se contaban por miles, y México conoció su nueva y aterradora realidad: el narco parecía imbatible, y la inseguridad cobró la peor notoriedad en vastas zonas del país.

Frente a los acontecimientos, la respuesta de Calderón y su aparato de gobierno fue una, inequívoca: costara lo que costara, no habría manera de retroceder. El dilema en Los Pinos llegó a límites inadmisibles: los narcos o nosotros; la inseguridad para millones o la ley y la patria. El mandatario se postulaba, así, como un hombre providencial, salvador de la República. Un principio de intolerancia surgió de este radicalismo sin peso en una nación que se tiene por democrática.

En esta perspectiva, con el país en una situación políticamente inestable, y vista la escandalosa "guerra sucia" emprendida por el panismo y sus huestes durante el proceso electoral de 2006, Felipe Calderón optó por legitimarse a posteriori. Así, el 11 de diciembre de ese año inició una guerra sorpresiva para todos, pues el presidente había ocultado su plan a la nación, cuando una lucha como la que se iniciaba requería del cumplimiento de leyes específicas y un consenso nacional. Es indiscutible que después de la elección sucia de 2006, Calderón estaba obligado a alcanzar acuerdos de reconciliación social. Ésa fue la tarea urgente que no vio, empeñado en la guerra, en su guerra, decidido en una lucha personal que lo elevaría por encima de todos en el panorama nacional.

La corrupción del Poder Judicial

Felipe Calderón, con la banda al pecho, no vio el país que tenía ante los ojos. No vio al narco ni supo de la magnitud y profundidad de su poder corruptor. Tampoco vio instituciones de todos los niveles infiltradas por los cárteles. Pero además, y tan grave como todo esto, no miró la corrupción enquistada en el gobierno que nacía con él. En suma, cegado por la luz de su propio poder, imbuido de la nobleza de las buenas intenciones, arrastró al país a la situación en que hoy se encuentra: muertos y más muertos, desaparecidos y más desaparecidos, inocentes que caen porque sí y enlutan centenares de miles de hogares.

A lo anterior habría que agregar el rezago persistente en lo que atañe a la preparación de los órganos de la seguridad pública. En el nivel local ya se sabía de cuerpos policiacos que padecían de una crítica falta de preparación y, por tanto, se hallaban imposibilitados para rendir buenas cuentas a la sociedad en su lucha contra la delincuencia. Cargaban, además, el lastre de la falta de recursos que les permitieran ostentarse como leales y eficaces defensores de la seguridad ciudadana a ellos confiada.

Las fuerzas policiacas locales arrastraban asimismo el pasado lamentable de los ministerios públicos y los jueces. Si bien es cierto que en algunos estados de la República se había tenido en cuenta su insuficiente preparación, también resalta que librar el rezago en su profesionalización y dar el salto a la eficacia no pasaban de ser una utopía. La corrupción imperante y la impunidad que siempre la acompaña frustraban en su origen el modelo de policía al que aspira cualquier sociedad que quiera vivir en un cabal Estado de derecho.

En el ámbito federal, pese a la independencia y autonomía orgánica y presupuestaria del Poder Judicial (gestada muchos años atrás, desde la creación del Consejo de la Judicatura Federal), los jueces no han alcanzado la capacidad jurídica ni la condición humana que en materia de seguridad pública se requiere para el correcto ejercicio de su función. Se limitan a aplicar la ley sin transmitir su espíritu, su finalidad: restablecer el derecho. Sin embargo, dada su jurisdicción y competencia, su trabajo no trasciende a la seguridad pública que reclama una sociedad más y más ofendida. Y es comprensible que así sea, pues el espacio que cubren los jueces federales no es el que pueda afectar al sufrido pueblo mexicano que quiere y reclama la tranquilidad cotidiana a su alcance, visible y táctil. Por el contrario, tienen competencia en lo que atañe a los delitos federales, y a éstos escapa el "pequeño" e incontenible ilícito de todos los días. Frente a la delincuencia organizada y la muerte que sistemáticamente trae consigo, poco puede hacer la institución federal en la República.

Es indiscutible la permanencia del Poder Judicial federal como último bastión del Estado en la defensa de la seguridad pública; lo es también que el personal que integra la Procuraduría General de la República (PGR) y sus ministerios públicos goza ya de un estatus económico razonable. Pero a estos factores positivos en el tema de la justicia como problema global se contrapone, de manera evidente, la corrupción que ha permeado a la institución. Este fenómeno se observa sobre todo en los niveles medios, tan influyentes desde el ángulo que se quiera considerar. La conclusión es desoladora: pesa sobre la sociedad, abrumadora, la presencia del crimen organizado y su fuerza devastante en los ámbitos centrales de la procuración de justicia.

Los hechos han ido escribiendo su propia historia; así, es público que la PGR, a través de los ministerios públicos, los delegados regionales y los jefes policiacos, había mantenido una red de comunicación con los grupos delictivos dedicados, sobre todo, al narcotráfico y al contrabando. De esta manera había funcionado el sistema durante largo tiempo, por gracia de un pacto implícito y brutal a la vez: a cambio de cierto consentimiento por parte de la autoridad para que los grupos criminales actuaran sin sobresaltos desquiciantes, éstos retribuían con sobornos a funcionarios del más vasto espectro.

Frente a una situación tan compleja como la que vivía la nación, Felipe Calderón, en vez de orientar las decisiones de su gobierno hacia el restablecimiento paulatino de un orden interior a partir del fortalecimiento de la PGR y la acción enérgica del Ministerio Público, optó por restarle facultades a estos dos órganos fundamentales en la lucha contra la delincuencia y, en una decisión difícil de comprender, por ampliar y fortalecer de inmediato las funciones de la Policía Federal.

De esta suerte, uno de sus primeros actos de gobierno consistió en remitir al Congreso un proyecto de reformas a la Constitución Política del país. Dicho proyecto establecía la modificación del artículo 21 constitucional; proponía, en lo que concierne a las funciones que deberían desempeñar los órganos gubernamentales frente al crimen, el texto siguiente: "La investigación de los delitos corresponde al Ministerio Público y a la policía, la cual actuará bajo la conducción jurídica de aquél en el ejercicio de esta función". Según la propuesta, la policía no sólo dejaría de ser auxiliar del Ministerio Público, sino que se convertiría en un órgano encargado de la investigación de los delitos. El Ministerio Público quedaría así vulnerado en su propia línea de flotación, pues pasaba a ser un mero conductor jurídico en la investigación del delito. El proyecto mostraba la ideología de su autor en materia de seguridad pública, según la cual el sistema policiaco quedaría a la altura del jurídico.

Después de arduas discusiones en el Congreso, el artículo 21 constitucional quedó redactado en los siguientes términos: "La investigación de los delitos corresponde al Ministerio Público y a las policías, las cuales actuarán bajo la conducción y mando de aquél en el ejercicio de esta función". La reforma calderonista estableció condiciones para promulgar una ley en materia de seguridad pública que permitiría a la policía lo que antes era facultad exclusiva del

Ministerio Público. La institución que era responsable de combatir los delitos quedaba así reducida al mero tránsito de simples instancias superiores. De un golpe, Calderón desarticuló una acción conjunta en bien de la sociedad y de su exigencia de seguridad para los individuos, ante todo y para todos. En estos términos, la demanda de seguridad pública quedó reducida al ámbito de la abstracción.

En los días de la asunción de Felipe Calderón al Poder Ejecutivo, la Policía Federal se encontraba en un proceso de renovación, mismo que se había iniciado durante la presidencia de Ernesto Zedillo y que había continuado bajo Vicente Fox. El ex presidente panista no sólo había derivado mayores recursos a la Secretaría de Seguridad Pública federal, sino que proyectó un cambio sistemático en su organización con el propósito de fortalecer las atribuciones de la Policía Federal. Estos planes fueron un acicate para las pretensiones de Calderón y su programa de combate al crimen organizado, hoy desacreditado. Al continuar la misma idea de sus antecesores en cuanto a fortalecer el aparato policiaco, le dio más fuerza a la fuerza.

No obstante, y a pesar del proyecto tan intensamente acariciado por el presidente Calderón, no fue la Policía Federal un eje en la batalla contra el crimen organizado. Dicha situación podría responder a dos razones: en primer lugar, los operadores del sistema policiaco dieron cuenta de que la Policía Federal no contaba con la legislación pertinente que le permitiera desarrollar las actividades que se le querían asignar. A este dato se agregaría que la institución no contaba con los recursos humanos requeridos para salir airosa de un compromiso mayúsculo. Además, la corrupción era una presencia que cubría múltiples espacios.

La segunda razón fue que al Ejército Mexicano se lo veía con las mejores virtudes y cualidades para emprender exitosamente la lucha frontal contra la delincuencia organizada: era la fuerza incontrovertible que, en las circunstancias descritas, garantizaba un futuro plausible para el país, el camino de salvación para el presente y el futuro. En el ejército, poderoso como ninguna otra institución del país, Calderón contaba con la infraestructura requerida para aceptar un desafío de magnitud histórica.

Así se involucró al Ejército y la Marina en el gran problema del sexenio. A sabiendas de que el Ministerio Público y la Policía Federal no estaban suficientemente capacitados para vencer al narco, fue el propio Felipe Calderón quien se valió del término *guerra* para iniciar su cruzada.[1] El 16 de septiembre de 2007, sus hijos, Luis Felipe y Juan Pablo, estuvieron presentes en el solemne y formal inicio de la gran aventura, en el marco significativo del desfile militar. Fue el último recurso de Calderón en su intento por salvarse completo de la desventurada elección de 2006.

[1] Véase el apéndice.

3. El marco jurídico de la guerra

Para valorar los efectos jurídicos derivados de la política del combate a la delincuencia por cuenta de las Fuerzas Armadas, es preciso analizar, en su perspectiva, las disposiciones y los antecedentes del sistema legal que dieron curso al compromiso asumido por el gobierno en el amanecer de su gestión. Aunque en términos rigurosamente formales el Ejecutivo no formuló declaración alguna al respecto, su programa de seguridad, que postulaba la solución rápida y efectista al problema, comprendía la lucha frontal en contra de la delincuencia organizada dondequiera que ésta actuase, y por ende tenía trasfondos legales claros, a cuyo estudio se dedican las páginas que siguen.

Las leyes nacionales

Desde el nacimiento del México independiente, los legisladores dejaron claramente establecidas las responsabilidades que deberían cumplir los servidores públicos en el desempeño del cargo a ellos confiado. Los congresos constituyentes fueron precisos en la enumeración de las sanciones, tanto políticas como penales, a las que se harían acreedores los funcionarios que dieran la espalda al compromiso contraído, públicamente reconocido y aceptado. En el capítulo siguiente veremos con mayor detenimiento las provisiones que han aparecido en los textos constitucionales de México para sancionar a los funcionarios (y las clases de delitos que podían imputárseles). Baste decir ahora que, desde el origen de nuestro sistema jurídico, el constituyente reguló las responsabilidades de los servidores públicos en cuanto se asumían como tales: el servidor público se hacía uno con el cargo, de suerte que el incumplimiento en el desempeño de su función traía consigo consecuencias graves, tanto en el orden civil como en el penal.

En cuanto a las facultades y obligaciones del titular del Ejecutivo, en su artículo 89 la Constitución que hoy nos rige establece, entre otras:

IV.   Nombrar, con aprobación del Senado, los coroneles y demás oficiales superiores del Ejército, Armada y Fuerza Aérea nacionales [...];

V. Nombrar a los demás oficiales del Ejército, Armada y Fuerza Aérea nacionales con arreglo a las leyes;

VI. Disponer de la totalidad de la fuerza armada permanente, o sea del Ejército terrestre, de la Marina de guerra y de la Fuerza Aérea, para la seguridad interior […] de la Federación;

VII. Disponer de la Guardia Nacional para los mismos objetos, en los términos que previene la fracción IV del artículo 76;

VIII. Declarar la guerra en nombre de los Estados Unidos Mexicanos, previa ley del Congreso de la Unión.

Es de resaltarse que el artículo citado "no contiene todas las facultades y obligaciones del presidente pues, como advierte la fracción XX, también existen las demás que le confiere expresamente la Constitución. Entre otras: las del artículo 29, para la suspensión de garantías; la correspondiente a la iniciativa de leyes, citada en la fracción I del artículo 71".[1] A este respecto, efectivamente, el artículo 29 constitucional prevé:

[1] Instituto de Investigaciones Jurídicas, *Constitución Política de los Estados Unidos Mexicanos*, México, IIJ-UNAM/Porrúa, 2002, t. III, p. 336.

En los casos de invasión, perturbación grave de la paz pública o de cualquier otro que ponga a la sociedad en grave peligro o conflicto, solamente el presidente de los Estados Unidos Mexicanos, de acuerdo con los titulares de las secretarías de Estado, los departamentos administrativos y la Procuraduría General de la República, y con la aprobación del Congreso de la Unión y, en los recesos de éste, de la Comisión Permanente, podrá suspender en todo el país o en lugar determinado las garantías que fuesen obstáculos para hacer frente, rápida y fácilmente, a la situación...

Por su parte, el antes referido artículo 76 determina, entre las facultades *exclusivas* del Senado, dar su consentimiento "para que el presidente de la República pueda disponer de la Guardia Nacional fuera de sus respectivos estados, fijando la fuerza necesaria". Y el artículo 108 prevé que para "los efectos de las responsabilidades a que alude este título se reputarán como servidores públicos a los representantes de elección popular [...] quienes serán responsables por los actos u omisiones en que incurran en el desempeño de sus respectivas funciones [...]. El presidente de la República, durante el tiempo de su encargo, sólo podrá ser acusado por traición a la patria y delitos graves del orden común".

De los preceptos constitucionales reseñados se desprende lo siguiente:

a) El presidente de la República, en tanto cabeza del Estado, es el comandante supremo de las Fuerzas Armadas, "porque él tiene la obligación de velar por la paz y el orden dentro del territorio nacional y de organizar su defensa frente a cualquier agresión [...] por eso las fracciones VI y VII le atribuyen el derecho a disponer del Ejército, la Marina de guerra, la Fuerza Aérea y la Guardia Nacional".[2]

b) En virtud de lo anterior, a él compete no sólo el nombramiento de los altos mandos de las Fuerzas Armadas nacionales, sino la potestad de disponer de éstas, así como de la llamada Guardia Nacional, para resguardar la seguridad interior de la Federación.

c) Para disponer de la Guardia Nacional el presidente requiere autorización del Senado de la República, pero no así para disponer del Ejército, Armada y Fuerza Aérea nacionales.

[2] *Ibid.*, p. 338.

d) Sin embargo, para declarar la guerra requiere de una ley promulgada por el Congreso de la Unión.

e) En casos de perturbación grave de la paz pública, o de cualquier otro que ponga a la sociedad en grave peligro o conflicto, de acuerdo con los titulares de las secretarías de Estado, los departamentos administrativos y la Procuraduría General de la República, y con aprobación del Congreso de la Unión, podrá suspender en todo el país o en un lugar determinado las garantías que fuesen obstáculos para hacer frente a la situación.

f) Puede promover iniciativas de ley que refuercen su política en ese tema, como las que pudieran requerirse en materia de la seguridad pública.

g) El presidente de la República, durante el tiempo de su encargo, sí puede ser acusado por delitos graves del orden común. A esto volveremos en el siguiente capítulo.

El gobierno federal ha sostenido y reiterado que la acción de las Fuerzas Armadas en contra de la delincuencia organizada responde estrictamente a la legalidad. En otros términos, queda claro que el Ejecutivo ha procedido de acuerdo con las facultades y atribuciones que el artículo 89 constitucional le concede. Pero más allá de lo jurídico, y del tiempo transcurrido desde el inicio de las hostilidades bélicas, no se conocen aún en toda su profundidad y alcance los móviles y razones de los que nació su política en el campo trascendente que nos ocupa. ¿En verdad pensó que saldría avante en una guerra que se inició sin el conocimiento del enemigo? ¿En verdad pensó que desmantelaría a los cárteles, veteranos en el oficio de la delincuencia organizada? ¿Quién lo asesoró? ¿O acaso todo nació de su inspiración en un sueño que se vuelve pesadilla?

Sean cuales fueren las facultades del presidente en este ámbito, nada lo exime de su deber de informar hasta el último detalle de esta gesta que, como ya dijimos, emprendió sorpresivamente en los primeros días de su mandato. Todo acto de autoridad —dejando a un lado los casos menores— debe estar acompañado de un alegato en forma, no de meras declaraciones sin el rigor de la prosa política por escrito. Aquí son ineludibles la meditación personal y la conducta pública que han de anteceder al definitivo "hágase". En la preparación de este libro he buscado documentos que me permitan avanzar en el esclarecimiento de las consideraciones que enmarcaron la resolución del Ejecutivo; lo que he encontrado, sobre todo, son abrumadoras palabras revestidas de autoridad: las del jefe nato del Ejército, la Marina, la Aviación.

El mismo texto constitucional pudo propiciar una interpretación que justificaba esta problemática decisión. Resulta evidente que privaron dos argumentos para que a los militares les fueran abiertas las puertas de sus cuarteles: uno, que estuviera en juego la seguridad interior de la República; dos, que se tratara de la defensa nacional frente a amenazas ciertas provenientes del exterior. En ambos casos prevalece un concepto superior: el de *seguridad interior*.

Ahora, ¿qué debe entenderse por seguridad interior? La palabra *seguridad* proviene del latín *securitas/securitatis*, que significa "cualidad de seguro" o "certeza", así como "cualidad del ordenamiento jurídico que implica la certeza de sus normas y, consiguientemente, la previsibilidad de su aplicación". La última de estas acepciones es la conveniente para establecer una definición de seguridad jurídica.[3]

[3] Poder Judicial de la Federación, Suprema Corte de Justicia de la Nación, *Las garantías de seguridad jurídica*, México, SCJN, 2007 (Garantías Individuales, núm. 2), p. 11.

Desde este punto de vista, el término *seguridad* alude al conjunto de leyes que en su cumplimiento propician el sano desarrollo del país. Por tanto, existe *seguridad jurídica* desde el momento en que el Estado mantiene las condiciones para que las controversias entre los ciudadanos y las instituciones puedan resolverse pacíficamente. Estas relaciones implican, por sí mismas, un Estado que ejerce su autoridad:

> La seguridad jurídica es la certeza que debe tener el gobernado de que su persona, sus papeles, su familia, sus posesiones o sus derechos serán respetados por la autoridad; si ésta debe afectarlos, deberá ajustarse a los procedimientos previamente establecidos en la Constitución Política de los Estados Unidos Mexicanos y las leyes secundarias.[4]

La seguridad material la propicia el Estado desde el momento en que su policía y los órganos encargados de procuración de justicia preservan el orden social, lo que sólo se justifica en el marco superior de la libertad. En consecuencia, la seguridad interior que menciona la Constitución es esa seguridad material

[4] *Ibid.*, pp. 11-12.

de la que venimos hablando. La seguridad jurídica, por su parte, es una clara extensión de la seguridad material, garante de la paz pública y privada.

En otro sentido, pero en la misma línea de pensamiento que nos ocupa, la autoridad debe recurrir a la fuerza armada sólo en situaciones extremas, pues a la vista, su sola presencia perturba el orden social. En otros términos, el uso de la Fuerza Armada debe reservarse para afrontar la amenaza de la paz. De esa manera, no entenderíamos la presencia del ejército en las calles si el conflicto que amerita su acción no hubiese afectado a la nación en su conjunto.

Resulta obvio, pues, que el combate a la delincuencia planeado desde la Presidencia de la República contiene implicaciones que a todos afectan. Precisamente por esto su persecución y sanción se encuadra en los deberes propios de las autoridades federales. En esta perspectiva, la presencia de las Fuerzas Armadas en la vida cotidiana implica tal responsabilidad por parte del titular del Ejecutivo federal, que éste debió formular un diagnóstico tan sólido y fidedigno que, por sí mismo, llevara a los ciudadanos a concluir que la adopción de tales medidas resultaba impostergable. Frente a la realidad, lamentablemente, parece que no fue el caso.

¿Se puede decir que en rigor el crimen organizado había impuesto condiciones materiales de tal magnitud que la República había entrado en una zona de peligro? Si así hubiera sucedido, la decisión de Felipe Calderón habría sido la que hoy todos conocemos y habríamos acatado con buen ánimo. Pero a fin de que esto ocurriera, el Ejecutivo federal debió observar previamente una serie de requisitos que contempla la Constitución. En este contexto, la palabra *guerra*, utilizada por el Ejecutivo federal al abrir los cuarteles, se carga de enormes responsabilidades. El bien social debía preservarse, y esto sólo habría podido lograrse si Felipe Calderón hubiera hablado con franqueza al país.

Pero esto no pasó, y causa dolor que las circunstancias hayan sido ésas. La turbiedad de las declaraciones oficiales creó en sí misma una incertidumbre que, generalizada, ha devenido en desconfianza sobre la certeza con la que ha actuado la autoridad. Hoy se ha vuelto clamor la exigencia de nuevas estrategias para combatir al crimen organizado. La primera de ellas: no lanzar a la lucha a las Fuerzas Armadas sin planes concretos diseñados con el máximo rigor. Como ya vimos en el citado texto constitucional, se pudo recurrir a la suspensión de garantías sin involucrar de esta manera a las Fuerzas Armadas (ya analizaremos con mayor detalle el caso en el capítulo siguiente). Ahora, en cambio, al Ejército, a la Marina, a los hombres en el aire se los viene desprestigiando en esta oscuridad que provoca la improvisación en la más grave decisión del sexenio.

Las leyes internacionales

En su condición de miembro de la comunidad internacional, el gobierno mexicano se ha obligado a la atención de tratados regionales y universales que batallan sin cesar por la convivencia armónica entre las comunidades, los gobiernos y las naciones. Al respecto, como recuerda Luigi Ferrajoli, "el derecho internacional tiene muchas cartas de derechos humanos, por ejemplo, la carta de la ONU, que establece el principio de la paz".[5] Pero también están inscritas en él las normas mínimas que habrán de seguirse si un Estado enfrenta a otro en términos de la máxima violencia, y aun en los casos de conflictos internos en alguna nación desgarrada.

[5] Luigi Ferrajoli, *op. cit.*, p. 21.

La decisión por cuenta de Felipe Calderón de involucrar al país en una lucha interna de la magnitud que constatamos, y la guerra misma, son inequívocamente susceptibles de regulación por cuenta de los tratados internacionales en vigor. Esto es así en virtud de que los convenios tienden a regular la armonía de comunidades dinámicas expuestas a los vaivenes y conmociones inestables en el complicado y enigmático ser del hombre. Ha sido claro al respecto Sergio García Ramírez:

Si la revisión de las relaciones entre el orden jurídico interno y el orden jurídico internacional pudo parecer, hace tiempo —mucho tiempo, por cierto—, sacrílego o inútil, hoy es necesario y urgente. Constituye una de las cuestiones más relevantes por resolver en el derecho constitucional de los estados y en el *jus gentium*, todo ello con fines prácticos que se traducen, cotidianamente, en la sumisión de casos ante la corte y en la ejecución de las resoluciones de ésta, además de la atención a las recomendaciones de la Comisión Interamericana.[6]

[6] Sergio García Ramírez, *La jurisdicción internacional. Derechos humanos y la justicia penal*, México, Porrúa, 2003, pp. 542-543.

Se requiere, pues, que los estados observen cabalmente las disposiciones internacionales, instancias superiores en su propósito: el respeto al derecho ajeno, la eminencia del otro, el repudio a la trata de personas de la condición que se quiera. El orden internacional pretende evitar que, bajo las instancias de su autonomía, un Estado establezca en su interior situaciones de hecho que vulneren los derechos sociales y el predominio de la ley aceptada libremente por la sociedad. Pretenden dichas instancias que bajo ninguna circunstancia queden inermes las personas e instituciones frente a un poder que, bajo argucias como la razón de Estado, pretenda someterlos más allá de su dignidad inalienable.

La responsabilidad internacional que se localiza en el fundamento del régimen tutelar de los derechos entraña obligaciones para el Estado en su conjunto, que comparece como unidad ante la justicia internacional, como previamente lo hizo al suscribir la convención o adherirse a ella. En suma, si estos puntos no se resuelven adecuadamente, podría quedar limitado, parcelado, esterilizado el sistema tutelar de los derechos que se hallarían amparados en unas hipótesis y desamparados en otras, todo ello en función del sujeto que incurra en violación. Habría una extraña especie de "inmunidad" para algunos sectores del Estado, a cambio de la "justiciabilidad" de otros.[7]

Como miembro de la comunidad mundial, México ha ratificado tratados relacionados con el derecho internacional humanitario, mismo que establece reglas con respecto a los recursos que han de seguirse en los casos en que un país se vea vulnerado en su Estado de derecho y padezca por ello desequilibrios sociales y políticos en lo que atañe a la estabilidad en el presente y aun en el futuro. En el cuerpo de estas disposiciones se encuentra el artículo 3° común a los Cuatro Convenios de Ginebra, de 1949. Dicho artículo fija las normas fundamentales que deberán acatar las partes en un conflicto armado no internacional. Entre ellas se encuentra el trato humanitario, sobre todo el de los inocentes, sin excluir a los beligerantes: a todos deberán cubrir garantías mínimas, como el rechazo a la venganza, no digamos a la sevicia en su expresión más cruda: la tortura. Asimismo, la Convención Americana sobre Derechos Humanos (suscrita en San José de Costa Rica

[7] *Ibid.*, p. 542.

el 22 de noviembre de 1969), en sus artículos 27 y 4°, como el Pacto Internacional de Derechos Civiles y Políticos, dispone que bajo ninguna premisa o circunstancia la persona pierde su condición esencial como receptor de garantías soberanas. Se aplica aquí, en lenguaje directo, el caso de conflictos bélicos.

Para la ley, la persona, única e irrepetible, merece permanente y estricta atención. En casos especiales, su protección deberá estar por encima de las acciones de los gobiernos y estados. Resultan pertinentes aquí los propósitos de la legislación internacional, que no son otros que marcar límites a toda suerte de excesos y arbitrariedades por cuenta de la autoridad. En estas circunstancias, quizá resulta menos complicado el retorno a un Estado de derecho, condición que marca los derroteros de una vida en la democracia, que una guerra ya tan larga y aún sin destino claro. Desde luego que de lo expuesto no se desprende, de manera alguna, que el Estado de derecho pueda proclamarse, sin más, contra cualquier emergencia bélica.

En el numeral 5, artículo 13, relativo a la libertad de pensamiento y expresión, de la Convención Americana sobre Derechos Humanos, quedó establecido el compromiso de los estados americanos para atajar "toda propaganda en favor de la guerra y toda apología del odio nacional". Ahora bien, en el caso del acceso a una guerra, estatutos como los reguladores de la Corte Penal Internacional estiman que incurre en delito grave cualquier violación al ya mencionado artículo 3° común a los Convenios de Ginebra. En el catálogo de ilícitos de la competencia de dicha Corte se encuentran los ataques consentidos contra civiles sin intervención directa en las hostilidades de que se tratara.

Es obligación de las partes de un conflicto, pero aún más cuando una de éstas representa al Estado, respetar y hacer respetar el Derecho Internacional Humanitario, así como mantener el equilibrio en el trato debido a los contendientes. El Estado deberá evitar las ambigüedades, así como la consideración elemental y superflua de los buenos y los malos, bajo un criterio universal: todos son individuos, personas en el sentido absoluto del término. En todos existe un valor intrínseco por salvaguardar. Todos, dirían los postulados de la Iglesia católica, mayoritaria en México, son hijos de Dios.

Pero más allá de estos deberes que corren por cuenta del Estado, a éste corresponde diseñar las estrategias a las que deberán ajustarse las partes en el litigio extremo, la muerte y la vulnerabilidad de unos y otros. Queda claro que en cualquier situación que trajera consigo la guerra, la obligación suprema del Estado es la protección de los civiles, los inocentes, entre ellos los niños, las madres con hijos en gestación y los ancianos inermes, pues la sola existencia de todos ellos conmueve e invita a la meditación profunda de los temas eternos: la vida, la muerte, el mundo, la creación.

La legislación internacional se extiende hasta hacerse de un concepto novedoso: la creación del ya mencionado Derecho Internacional Humanitario. El enunciado de este ordenamiento explica por sí mismo su contenido e ideal utópico:

La existencia de una violación a los derechos humanos trae consigo una responsabilidad a cargo de entidades o personas. Es preciso —desde la perspectiva de la norma jurídica— que el responsable afronte las consecuencias de la conducta indebida. En el ámbito que ahora nos interesa viene al caso la responsabilidad del Estado por hechos realizados por personas físicas —puesto que el Estado se manifiesta y actúa a través de ésas— formalmente vinculadas a él, a título de agentes —servidores públicos, funcionarios, empleados— o de otros sujetos que guardan cierta relación con él o cuya conducta trae consecuencias que el ordenamiento jurídico considera equitativas y pertinentes para el Estado que ha sido omiso o distante. Existe aquí, pues, un problema específico de imputación jurídica.

Dicho de otra manera, hay que esclarecer cómo se convierte la responsabilidad de un individuo en responsabilidad del Estado, de manera que sea imputable a éste el comportamiento de aquél, y de ello deriven, a su cargo, consecuencias jurídicas que se resuelven en la obligación de afrontar ciertas reparaciones y otros deberes.[8]

El derecho explica y precisa que aun en el caso de ilícitos cometidos por algún subordinado oscuro, sin rango ni mérito alguno, también habría que llamar a juicio a sus superiores. Dice Asdrúbal Aguiar, de cara a la responsabilidad múltiple que trasciende esta materia: "la regla indica que debe tratarse de acciones u omisiones atribuibles a los órganos del mismo Estado (o de un organismo internacional, si es el caso) o a entidades habilitadas para el ejercicio del poder

[8] *Ibid.*, p. 86.

público, a quienes sean sus agentes o funcionarios o a quienes aparezcan actuando como tales".[9]

Al respecto, la propia Corte Interamericana de Derechos Humanos sostiene que, en el caso de ilícitos cometidos por elementos de las Fuerzas Armadas, a éstos habría que enfrentarlos a los tribunales civiles y no a los militares, como desdichadamente ocurre en nuestro país. Este criterio ha sido ya expuesto por la Corte en su sentencia del 8 de marzo de 1998, serie C, número 37, al resolver, en Guatemala, un litigio conocido como "Caso Paniagua Morales y otros":

No se requiere determinar, como ocurre en el Derecho Penal Interno, la culpabilidad de sus autores o su intencionalidad, y tampoco es preciso identificar individualmente a los agentes a los cuales se atribuye los hechos violatorios [...]. Es suficiente la demostración de que ha habido apoyo o tolerancia del poder público en la infracción de los hechos reconocidos en la convención [...]. Además, también se compromete la responsabilidad internacional del Estado, cuando

[9] Asdrúbal Aguiar, *Derechos humanos y responsabilidad internacional del Estado*, Caracas, Monte Ávila/Universidad Católica Andrés Bello, 1997, pp. 123-124.

éste no realice las actividades necesarias, de acuerdo con su derecho interno, para identificar y, en su caso, sancionar a los autores de las propias violaciones...

En virtud de que el conflicto entre el gobierno y las fuerzas del crimen organizado reúne las características de un "conflicto armado", de él no puede verse marginado el orden internacional. El presidente Calderón decidió movilizar a las Fuerzas Armadas para enfrentar al crimen organizado y creó, en ese preciso momento, un estado bélico en el país. En la imposibilidad que ha planteado de desandar el camino andado, tarde o temprano llegarán a él los reclamos del derecho internacional en atención a los variados y múltiples canales con los que cuenta para hacerse escuchar.

A este propósito, el orden internacional ya se ha pronunciado: existe un conflicto bélico a partir del día en que comenzaron los enfrentamientos que padece el país: emboscada tras emboscada, armas contra armas, muertos por un disparo seco, sin origen conocido, decapitados, desaparecidos, mutilados... en suma, un Estado de derecho cada vez más arrinconado. Así, a través del seguimiento de los hechos es posible postular que, tanto los integrantes de los grupos criminales armados como los miembros de la fuerza pública, habrían de saber que no pueden pasar por alto, así nada más, los Cuatro Convenios de Ginebra.

Pero así como el hecho de que los contendientes de las fuerzas públicas no cumplan con el Derecho Internacional Humanitario no podría esgrimirse como una razón plausible para hacer a un lado las disposiciones establecidas por un derecho reconocido universalmente, tampoco del hecho de que los grupos criminales armados violen todos los principios del derecho y la convivencia razonable de la sociedad se sigue que los ajusticiamientos y las muertes en la oscuridad puedan celebrarse como victorias del orden. Al Estado lo limita la ley, lo que no ocurre con los delincuentes del crimen organizado. El Estado sólo puede apoyarse en la ley para cumplir con su función eminente. La ley ata y desata, y su fortaleza en ocasiones se debilita frente al crimen.

En suma, el derecho internacional presenta este catálogo de postulados frente a la delincuencia:

a) Propone a los Estados optar por la paz.
b) Prohíbe a los Estados la propaganda a favor de la guerra y toda apología del odio nacional.

c) Plantea a los Estados en guerra el respeto a los derechos humanos mínimos.

d) Solicita a los Estados en guerra no detenerse frente al exceso, no disponer la crueldad en las condiciones que sea.

e) Pide a los Estados la salvaguarda de la población civil no combatiente.

f) Propone a los Estados la revisión de su conducta, esto es, la de sus agentes, y en casos notorios de abuso, someter a éstos a juicio ante tribunales civiles.

g) Plantea a los Estados su responsabilidad por los ilícitos de sus subordinados.

En la trágica etapa que vivimos, con más sangre todos los días, el reclamo por la justicia se ha hecho marejada. En esta marejada, la conciencia pública no está sola ni aislada. En los foros internacionales, México ya es motivo de escándalo y dolor.

4. Las responsabilidades

Todo acto de autoridad implica responsabilidades y ha de ser juzgado en el marco legal que rige sus atribuciones. De esto no está exento el acto de decidir emprender una guerra no declarada que ha acarreado graves consecuencias al país, entre ellas la pérdida de miles de vidas inocentes. A continuación volveremos a los conceptos de legalidad y legitimidad, examinaremos si nuestras leyes preveían alguna alternativa y revisaremos cuáles son las responsabilidades que pueden fincarse por el conflicto que hoy nos aqueja.

Legalidad y legitimidad

En principio vale expresar que la autoridad cumple con su deber si actúa en el marco de la ley que ha jurado respetar. Sin embargo, esto no significa que toda decisión legítima vaya de la mano del bien común. En otros términos, el que una decisión se tome con apego a la ley no implica necesariamente que sea justa o materialmente legítima. Así, puede darse el caso de que una decisión materialmente legítima proceda de un sujeto jurídica o éticamente cuestionado, o también, que la decisión responda a fines personalistas o lesione un interés público superior.

En la estricta aplicación de la ley, el juez debe medir que, en cualquier conflicto, las consecuencias negativas para las partes en el litigio sean las mínimas. En su delicada tarea, el árbitro ha de buscar el equilibrio entre la textualidad de la ley y su interpretación. En pos del ejercicio del derecho, deberá apegarse a un fin superior: la paradoja que implica una justicia inalcanzable e ineludible a la vez. Por otra parte, la arbitrariedad y el abuso del poder representan los males que responden a otro esquema: la impunidad.

Dos conceptos, uno al lado del otro, se hacen escuchar en estos apuntes: *legalidad* y *legitimidad*. La legalidad no es otra cosa que el respeto a la letra de la ley; la legitimidad, la consideración a su espíritu y, en este orden de ideas, la vigilancia ciudadana para que nada manche el proceso que le corresponda. Ya hablamos de la importancia de la legitimidad para los actos de gobierno al citar a Max Weber en el primer capítulo de este libro.

Hablando de legalidad y legitimidad, en el caso de la confrontación bélica desatada en el país, no existe disposición constitucional alguna que soporte y justifique los hechos que reseñamos. Recordemos que la fracción VI del artículo 89 de la Constitución Política del país establece que es facultad del presidente de la República "disponer de la totalidad de la fuerza armada permanente, o sea del Ejército terrestre, de la Marina de guerra y de la Fuerza Aérea, *para la seguridad interior* [...] de la Federación".

De este texto tan preciso debió ocuparse el Ejecutivo federal antes de emprender la batida contra el crimen organizado. Todos podemos estar de acuerdo en que había que combatirlo, pero fallaron las formas, se cayó en el equívoco de los principios y todo se vino abajo. No existen hoy testimonios fehacientes que pudieran enderezar el árbol ya torcido. Felipe Calderón desoyó la primera condición de su mandato: el apego estricto a la Constitución como marco de su quehacer. Volvamos al concepto de "seguridad interior" que manejamos más arriba como certeza del respeto a los derechos de los gobernados y pensemos si se justificaba disponer de las Fuerzas Armadas para protegerla o restituirla.

Más aún: no prevé la Constitución que en el combate al crimen deba utilizarse la fuerza militar masiva, como ocurrió en este sexenio. Lejos de esto, el artículo 21 de la Carta Magna (aquel cuya reforma impulsó el presidente en los primeros días de su gestión) establece que compete al Ministerio Público, de manera exclusiva, la persecución de los delitos, y para ello ha de apoyarse en la policía, a la que ha de conducir en las investigaciones que procedan.

Las conclusiones acerca de la conducta política de Felipe Calderón se imponen a partir de la ley y la lógica. El presidente incumplió con la ley y confundió los principios hasta propiciar un ambiente adverso a su política. En este asunto asoma el rostro agrio del fracaso.

La decisión

La guerra nació de una visión parcial del fenómeno delictivo que aquejaba a nuestro país: según ésta, el crimen organizado era ya de una magnitud tal que podía constituirse en una amenaza contra las instituciones del Estado, esto es, contra el país en su estructura básica. Esta percepción dejó atrás las prioridades soberanas: educación, salud, equilibrio social, transparencia…

Aun en el supuesto de que semejante criterio fuera válido en la concepción que se tuviera del país, el Ejecutivo federal debió ajustar sus decisiones a la ley y hacerse del apoyo expreso de las secretarías de Estado y de la Procuraduría General de la República, previa aprobación del Congreso de la Unión y, en caso de un receso en sus funciones, de la Comisión Permanente: tal como manda la Constitución. Cumplidos los principios de buen gobierno, Calderón hubiera quedado con las manos libres para aplicar el estado de excepción, esto es, la suspensión constitucional de las garantías individuales en aquellos puntos donde la violencia desatada hiciera imposible la vida cotidiana y los inmensos valores que encierra.

Una política enderezada en estos principios habría permitido a la población civil sometida a la violencia cobrar conciencia plena de su situación y contribuir con la autoridad al restablecimiento de un orden imprescindible. Por el contrario, no se ha atendido cabalmente a las zonas afectadas ni se ha requerido de la cooperación de sus habitantes contra el crimen organizado, de modo que hoy los pobladores han de vivir en el fuego cruzado que mata a muchos y asola a todos. Esta confusión en el ejercicio de la política y la visión de los valores ha traído consigo una carga adicional en el sufrimiento que padecen los habitantes de las zonas en conflicto. Así nacen y se multiplican los llamados daños colaterales, que no son otra cosa que la tragedia de los inocentes que caen muertos o son desaparecidos o mutilados por el caprichoso y desgarrador azar.

Volviendo al estado de excepción, es claro que no puede mirarse como una panacea, y que por sí mismo podría prestarse a toda suerte de abusos y arbitrariedades. Es conocido el dicho sabio que afirma que "a río revuelto, ganancia de pescadores". Y el río revuelto, en este caso, no es sino una situación anómala en muy alto grado. No obstante, en ese tiempo crucial, el Ejecutivo pudo haber aplicado las disposiciones legales del caso, no sin antes informar pormenorizadamente a la opinión pública de la situación en que se encontraba el país. Esto le hubiera permitido cubrir su mandato con la indispensable protección del cumplimiento a la ley, pues no cuenta el gobernante con otro escudo mejor para cubrir su autoridad y mantenerla en pie.

En diciembre de 2006, muy pocos podrían haber imaginado lo que la guerra engendraría en la República: el Ejecutivo atropella la propia ley (a la que no escuchó antes), y lo acompañan en la crisis que ha provocado el secretario de Defensa, el secretario de Marina y el responsable de la Fuerza Aérea. Bajo estas consideraciones, si Calderón hubiera aplicado el estado de emergencia a tiempo, se habría evitado el oscuro callejón en el que se ha ido metiendo.

Desechado el estado de emergencia, la sociedad queda aún más desprotegida. La paradoja se explica por sí misma: esa sociedad habría podido vivir una existencia difícil pero ordenada, y no la realidad en la que ahora se halla, con la zozobra y el temor como acompañantes perennes. Grave en sí mismo, e indeseable por principio, el estado de emergencia ofrece vías generosas frente a conflictos como el que ha vivido el país durante estos cruentos años, pues de alguna manera impone límites drásticos a los propósitos siempre negativos de la insurrección sin control. Y aunque, repetimos, la suspensión de garantías puede prestarse a abusos, la Corte Interamericana de Derechos Humanos ha sostenido (opinión consultiva oc-8/87, párrafo 24) que no significa "la suspensión temporal del Estado de derecho o que autorice a los gobernantes a apartarse de la legalidad a la que en todo momento deben ceñirse". Insistimos: la suspensión de garantías lleva claridad en la confusión, un buen principio para un pronto retorno a la normalidad cotidiana.

En sus declaraciones, el gobierno federal ha pretendido que la sociedad deje de cuestionarlo, visto que la batalla y el empeño por la paz que todos deseamos van dirigidos contra los delincuentes. De los inocentes, las víctimas colaterales, apenas habla la autoridad, lo que no hace sino alentar la indignación pública. En la muerte, la voz de los inocentes se escucha cada vez más poderosa. Nacieron para vivir y vieron malograda su existencia de la peor manera: murieron porque sí, porque así es la vida. Pero en medio de ese aparente azar se perfila una figura: la del Ejecutivo federal y su guerra que, por desgracia, no es de todos y pudo resolverse en las condiciones ya descritas.

A mediados de 2010, Felipe Calderón declaró que, como consecuencia de la lucha armada, sólo 10% de las 28 mil muertes que admitía no tenían relación directa con la delincuencia organizada. Tomada nota del inadmisible dramatismo de esta declaración que de alguna manera clasificaba a los muertos en buenos y malos, Calderón hacía sentir una fría distancia con los inocentes, de los que sólo se hablaba esporádicamente y con estadísticas. Y así fue día tras día hasta un reciente cambio de actitud que nació de la exigencia pública de Javier Sicilia en el sentido de pidiera perdón por los inocentes caídos en estos años de crueldad.

En sus justificaciones, el gobierno ha hablado de los daños colaterales que toda situación de violencia extrema trae consigo, inevitablemente, valiéndose de la fatalidad como argumento. Pero de esos daños colaterales, la inexcusable muerte de los inocentes, alguien tendrá que responder. Y ese alguien no podría ser otro que el propio Ejecutivo que desató la guerra y se hizo responsable, enfáticamente, de los mismos daños colaterales, que algún lugar habrán de ocupar en su conciencia como persona y como gobernante.

Montesquieu es claro en *Del espíritu de las leyes*: "La vida de los Estados es como la de los hombres: éstos pueden matar en caso de defensa propia; aquéllos pueden hacer la guerra para su propia conservación". Vale la pena agregar que, en todo caso, la lucha únicamente sería justa si de alguna manera se hubiera protegido a los inocentes en el principio mismo de la guerra. ¿De qué manera? Ya lo hemos anotado: haciendo valer el estado de excepción, olvidado en el menosprecio del silencio.

La condena

Otra aproximación al enfrentamiento militar contra el crimen organizado debería ponderar si existe o no una proporción justa entre los daños causados y los beneficios obtenidos después de cuatro años y medio de escuchar el silbido de las balas. En este acercamiento a la realidad, la inseguridad en la República no ha cedido a la urgencia que reclaman la paz y el Estado de derecho.

Los sucesos en cadena que se registran cotidianamente motivan una reflexión: Felipe Calderón se lanzó a la guerra sin el conocimiento cabal del enemigo al que desafiaba, seguro en su posición de fuerza. Además, no se dio la oportunidad de ahuyentar al nefasto priísmo del espacio presidencial que ocuparía durante seis largos años. En un rompecabezas sin sentido hizo pública, además, su complicidad con Vicente Fox, autor de tantos desmanes en compañía de la señora Marta Sahagún.

En un principio, Calderón hizo sentir que los golpes mediáticos que propinaba a los narcos traerían consigo la comprensión y el apoyo de una inmensa mayoría de los mexicanos que lo seguía y aplaudía. No fue así. El Ejecutivo se equivocó, y desde las entrañas del narcotráfico fue advertido de que los golpes mediáticos, como la aprehensión de figuras notables de la delincuencia organizada, irían perdiendo fuerza, porque las reservas de hombres y mujeres comprometidos en la banda que enfrentaba al gobierno estaban ya listas para sustituir a los jefes emblemáticos.

Sembrador de semillas sin esencia, Calderón festejó victorias y señaló culpables, sin más autoridad que su voz. Así fue disminuyéndose su figura, inmensamente lejana a la de un estadista. El bienestar nacional, la confianza en el futuro, la tarea gigantesca por la educación, la salud, la paz pública, la cultura... todo esto quedó en los meros proyectos enunciados y pospuestos.

En el desorden que se ha ido apoderando de la República, es preciso subrayar que a nadie podría sometérsele a juicio como presunto inocente. Una figura tan grotesca no cabría en la ley, que reserva su espacio para los presuntos culpables. Sin embargo, precisamente el caso de un "presunto culpable", presentado en el documental del mismo nombre, llegó a impresionar a nuestra sociedad. Operó aquí, por fortuna, la limpia figura del Ministerio Público como órgano de buena fe, en contra de los prejuicios y de la arbitrariedad por las que tratan de colarse abusos, chantajes, dolo, esa carnicería jurídica que se desata sin el previo juicio. Así se postule que existen móviles para denostar a los integrantes del crimen organizado, la lucha contra éstos no será ética ni legalmente válida si nos apartamos de los principios que acreditan el Estado de derecho como base y fundamento de la convivencia civilizada. El delincuente lo es únicamente a partir de la sentencia de un juez. Sólo si esto se cumple nos protegeremos todos de la calumnia como una de las tantas formas de la mala fe, la inquina, la mentira, el dolo, el desprestigio, la difamación. Si el Estado no valora en toda su profundidad las razones de la legalidad, el edificio social resentirá sus efectos y viviremos su paulatino resquebrajamiento.

Así como todos los caminos llevan a Roma, también llevan a una conclusión: no pueden quedar en el olvido tantas víctimas inocentes en todos los órdenes: torturados, mutilados, desaparecidos, sin un deslinde de responsabilidades. Aquí, sin duda, Felipe Calderón y los secretarios de la Defensa, la Marina y el jefe de la Fuerza Aérea tendrían que hablar. No serían los últimos, si apuntamos, por lo menos, la notoriedad del secretario de Seguridad Pública.

Responsabilidades

Como ya vimos, desde la consumación de nuestra Independencia se han abocado los legisladores a establecer parámetros para fincar las responsabilidades políticas y penales de los servidores públicos en el desempeño de su cargo. Al respecto, el doctor Luis Humberto Delgadillo Gutiérrez (magistrado de la Sala Superior del Tribunal Federal de Justicia Fiscal y Administrativa y profesor de la Facultad de Derecho de la UNAM) dice:

> La significación de las sanciones de carácter político quedó plasmada en el septuagésimo párrafo del dictamen a la Constitución de 1857, en los siguientes términos: "Sois un inepto; no merecéis la confianza del pueblo; no debéis ocupar un puesto público; es mejor que volváis a la vida privada [...]. El voto del pueblo no es infalible; sus esperanzas pueden frustrarse, venirle males imprevistos de quien les prometió crecidos bienes, y es lógico y muy justo que por medio legal, sin conmociones ni turbulencias, pueda retirar el poder a su delegado. Así los encargados de las funciones públicas son más fieles y más celosos en el cumplimiento de sus deberes"...[1]

[1] Luis Humberto Delgadillo Gutiérrez, *El sistema de responsabilidades de los servidores públicos*, México, Porrúa, 2001, p. 37.

Así, desde el origen de nuestro sistema jurídico, el constituyente reguló las responsabilidades de los servidores públicos en cuanto se asumían como tales. Fue la propia Carta Magna, maestra en estos asuntos, la que detalló los límites y el alcance de su competencia. Desde la Constitución de Apatzingán quedó establecido el juicio de residencia (arraigo) para los funcionarios desleales, y específicamente para los ministros, los diputados, los miembros del supremo gobierno, los integrantes del Supremo Tribunal de Justicia y, en general, para todo empleado público, de arriba abajo. El "arriba" se refería claramente a la figura presidencial.

En 1824, la Constitución llevó la ley suprema por otros derroteros igualmente significativos: la Corte Suprema de Justicia, a través de un tribunal especial, se haría cargo de la responsabilidad del presidente y vicepresidente de la Federación, de los secretarios del despacho, de los gobernadores, de los senadores y los diputados, así como de todo servidor público. Posteriormente, las Siete Leyes Constitucionales de 1836, así como las Bases Orgánicas de la República Mexicana de 1842, continuaron el procedimiento señalado por la Carta Magna y fueron explícitas en el detalle al señalar las responsabilidades del funcionario público y la sanción correspondiente que traía consigo el incumplimiento de la ley.

Ruta parecida siguió la Constitución de 1857. En su letra consta que únicamente se ocuparía de los funcionarios federales, así como de los gobernadores en su ámbito estatal en lo que corresponde a delitos, faltas e infracciones oficiales, así como faltas comunes. De esta manera el resto de los empleados públicos quedó relevado de toda responsabilidad en el correspondiente capítulo constitucional.

El mismo criterio fue seguido por la llamada Ley Juárez, del 3 de noviembre de 1870, pero no así por la llamada Ley Porfirio Díaz, del 6 de junio de 1896. En términos de la Ley Juárez, al presidente de la República, durante el tiempo de su encargo, sólo se lo podría acusar por tres tipos de ilícitos: traición a la patria, violaciones a la libertad electoral y faltas graves del orden común. En la ley reglamentaria de los artículos 104 y 105 de la Constitución Federal, promulgada el 6 de junio de 1896, queda el detalle procesal. Paralelamente a la Ley Juárez, la Ley Porfirio Díaz reguló la responsabilidad y el fuero constitucionales de los altos funcionarios federales. Sin embargo, había diferencias entre ambas figuras jurídicas; entre otras: de acuerdo con la Ley Díaz, la declaración de procedencia (es decir, la posibilidad de acusar al alto funcionario) debería emitirla un gran jurado. Semejante criterio nació de la mismísima lógica jurídica, visto el fuero constitucional del que gozaban los altos servidores públicos.

Por lo que toca a la Constitución de 1917, ésta previó que la responsabilidad, en el caso específico del presidente de la República, no podría ir más allá de la traición a la patria y delitos graves del orden común. Frente a cualquier otro ilícito, protegía al primer mandatario el fuero, salvaguarda que le permitiría gobernar con los requerimientos que implica el ejercicio natural de su responsabilidad. En otros términos, debía protegerse al presidente de cualquier acoso que lo maniatara.

A este respecto, no resulta ocioso determinar qué entiende nuestro sistema jurídico por "delitos graves del orden común". Pero antes de entrar en materia, es preciso resaltar que la Constitución Política del país protege a los muy altos servidores públicos no sólo con la inmunidad procesal (fuero), sino sólidamente apoyada por la ambigüedad con la que se ocupa de dicha inmunidad. De aquí que, para mal de la nación, los conductores de la política puedan gobernar, en los hechos, con una virtual carta blanca.

La traición a la patria, por ejemplo, es un asunto de tal profundidad que resulta casi imposible tipificarla, vistos los mil equívocos e imprecisiones formales que existen al hablar de ella. Ni siquiera el caso mundialmente debatido del mariscal francés Philippe Pétain, héroe de la primera guerra mundial y señalado por muchos como traidor en la segunda, ofrece al respecto un ejemplo claro. Ciertamente Pétain sirvió a los nazis, en la improvisada capital francesa en Vichy. En la drástica situación que vivió, negoció con el ejército alemán, y quizá se pasó de la raya, pero salvó París para el mundo.

De acuerdo con nuestro sistema jurídico-penal, constituyen delitos del "orden común" únicamente los ilícitos previstos por las legislaciones locales, es decir, los establecidos por las leyes penales de los estados y el Distrito Federal, no así los delitos que enmarca el código penal federal. De lo anterior podemos adelantar que, durante el desempeño de su cargo, no se puede perseguir penalmente al presidente de la República por delito alguno del fuero federal, con excepción, insistimos, de los casos de traición a la patria y los delitos graves especificados por la Constitución. Así, un presidente podría incurrir en genocidio, terrorismo, espionaje, evasión de presos en materia federal, ataques a las vías de comunicación y violación de correspondencia, ultrajes a las insignias nacionales, relaciones con el narcotráfico, provocación de un delito y apología de éste, acceso ilícito a sistemas y equipo de informática federales, además de un ejercicio indebido de servicio público, abuso de autoridad, desaparición forzosa de personas, uso personal y marginal de atribuciones y facultades, tráfico de influencias, cohecho, peculado y enriquecimiento ilícito; sin que por todo esto pudiera seguírsele procedimiento alguno que aluda a responsabilidades concretas durante el ejercicio de su encargo.

Aquí acompaña al equívoco una viscosa turbiedad legalista: la Constitución determina que durante el desempeño de su cargo al presidente de la República sólo podrá llamársele a cuentas por "delitos graves del orden común". De esta suerte o en esta "providencia", se da a entender que únicamente se le puede procesar cuando incurra en un delito como individuo, como persona, mas no como servidor público federal. En otras palabras, y en términos de nuestra Constitución, en tanto sea titular del Poder Ejecutivo, al singular sujeto sólo podrá juzgársele penalmente por ilícitos cometidos por la persona en su condición de jefe de Estado.

Ahora bien, y de acuerdo con nuestro sistema penal, son delitos "graves" aquellos que, por su penalidad, implican que el acusado debe seguir su proceso dentro de la cárcel. En otros términos, son aquellos delitos por los cuales el inculpado debe verse privado de su libertad durante el proceso que habrá de seguir. Los códigos penales de los estados de la Federación y el Distrito Federal prevén como delitos graves, entre otros, el asesinato, la desaparición forzada de personas y la tortura. Se hace alusión a dichos ilícitos debido a que podrían cometerse durante la guerra contra la delincuencia organizada.

Felipe Calderón hizo valer su cargo eminente y tomó decisiones sin sustento legal. A la vuelta de su historia, escucha ya los más serios cuestionamientos acerca de su quehacer. ¿Cuál es su responsabilidad?

Para establecerlo, debemos examinar distintas clases de responsabilidad. La responsabilidad política, en primer lugar, "es aquella que tienen los funcionarios federales cuando con su conducta violen los intereses públicos fundamentales y su buen despacho, y también la que tienen los funcionarios estatales cuando con su conducta incurran en violación a las leyes federales y a las leyes que de ellas emanen, o por el manejo indebido de fondos o recursos federales".[2]

Las responsabilidades jurídicas, por su parte, pueden ser administrativas, civiles y penales. Por lo que respecta a las responsabilidades de los servidores públicos, la jurisprudencia de nuestro país establece lo siguiente:

De acuerdo con lo dispuesto por los artículos 108 y 114 de la Constitución Federal, el sistema de responsabilidades de los servidores públicos se conforma por cuatro vertientes: *a*) la responsabilidad política para ciertas categorías de servidores públicos de alto rango, por la comisión de actos u omisiones que redunden en perjuicio de los intereses públicos fundamentales o de su buen despacho; *b*) la responsabilidad penal para los servidores públicos que incurran en delito; *c*) la responsabilidad administrativa para los que falten a la legalidad, honradez, lealtad, imparcialidad y eficiencia en la función pública, y *d*) la responsabilidad civil para los servidores públicos que con su actuación ilícita causen daños patrimoniales. Por lo

---

[2] Sergio Monserrit Ortiz Soltero, *Responsabilidades legales de los servidores públicos*, México, Porrúa, 2007, pp. 90-91.

demás, el sistema descansa en un principio de autonomía, conforme al cual para cada tipo de responsabilidad se instituyen órganos, procedimientos, supuestos y sanciones propias aunque algunas de éstas coincidan desde el punto de vista material, como ocurre tratándose de las sanciones económicas aplicables tanto a la responsabilidad política, a la administrativa o penal, así como la inhabilitación prevista para las dos primeras, de modo que un servidor público puede ser sujeto de varias responsabilidades y, por lo mismo, susceptible de ser sancionado en diferentes vías y con distintas sanciones.[3]

Han sido múltiples las consecuencias derivadas de la guerra, más allá de la flagrante violación cometida en su origen. Entre esas consecuencias destacó la forma como se hicieron llegar a las Fuerzas Armadas caudales inmensos. El asunto es particularmente grave para una sociedad con las enormes carencias de nuestra cartera, insuficiente para atender los rezagos seculares que padecemos. Paralelamente a tales cuestiones habría que esclarecer el soporte legal con el

---

[3] *Semanario Judicial de la Federación* y su *Gaceta*, t. III (abril de 1996), p. 128.

que actuó Calderón y precisar el uso que las Fuerzas Armadas dieron a la riqueza confiada a sus manos. Todos deberíamos saber de qué manera y conforme a qué criterios fueron utilizados los recursos públicos para emprender y sostener durante tan largo tiempo la guerra sin el cabal sentido de la coherencia.

Resulta válido vaticinar que estas tareas, apenas esbozadas aquí, en su momento habrán de ser tomadas en sus manos por grupos e instituciones que ya han expresado su malestar por el comportamiento del Ejecutivo. En el tema se impone la ilegalidad en la que ha incurrido el Ejecutivo, comportamiento del que pueden derivar responsabilidades administrativas, civiles y penales, todas por dilucidar.

Desde el punto de vista administrativo, no podrían pasarse por alto o minimizarse las faltas u omisiones del poder federal en cuestiones internas que atañen a entidades estatales, como ocurre con los bienes patrimoniales de éstas:

La responsabilidad administrativa es aquella en la que incurren los servidores públicos cuando, en el desempeño de sus empleos, cargos o comisiones, su conducta contraviene las obligaciones contenidas en el Código de Conducta Administrativo que previenen las 24 fracciones del artículo 8 de la Ley Federal de Responsabilidades Administrativas de los Servidores Públicos.[4]

Desde el punto de vista civil, la responsabilidad se da en aquellos casos en los que se afectan intereses de terceros. Como mero ejemplo, llama la atención por su complicada sencillez el caso siguiente: en el supuesto de que una mansión de narcos hubiera sido vendida a precios irrisorios a una familia común y corriente que sabía con quién negociaba, ¿qué destino tiene el inmueble? El inmueble habría sido punto de partida de un escándalo entre las familias enteradas del caso. ¿Debe el gobierno o no hacerse del suntuoso bien? ¿Debe la familia pagar impuestos mínimos o sumas mayores? ¿Debe la familia pagar deudas acumuladas y exigidas por la hacienda pública? ¿O sencillamente nada ocurrió y el caso se archiva sin más? Como quiera que sea, el juego sucio aparece por doquier. ¿Tiene el Estado derecho de intervenir en problemas que él mismo complicó? ¿Qué papel habría de tener el Estado, visto que la autoridad desató la contienda y se comprometió a asumir

---

[4] *Ibid.*, p. 127.

el costo de los daños colaterales? La cita siguiente da luz sobre el tema:

Se entiende como responsabilidad patrimonial del Estado la obligación que tiene éste, como ente jurídico, de reparar a los particulares los daños causados con motivo de su actuación [...]. Es evidente que existe una estrecha vinculación entre la responsabilidad patrimonial del Estado y el régimen de responsabilidades de los servidores públicos, toda vez que la primera se genera por la actuación de los servidores públicos en su calidad de autoridades o representantes del Estado [...]. Esta actuación de los servidores públicos puede ser dolosa o por negligencia, pero en ambos casos el Estado está obligado a reparar el daño causado a los particulares por la conducta de sus servidores públicos.[5]

Habría que agregar: es inexcusable la responsabilidad objetiva civil de los servidores públicos en aquellos casos en que su conducta afecta a terceros. En este capítulo, dicha responsabilidad es regulada

[5] Alberto Gándara Ruiz Esparza, *Responsabilidades administrativas de los servidores públicos*, México, Porrúa, 2007, pp. 107-108.

particularmente por la Ley de Responsabilidad Patrimonial del Estado. Finalmente, es factible la intervención penal en los casos de acción u omisión del servidor público que incurre en delitos que sobrepasan los límites administrativos.

No puede pasar inadvertido que, desde el punto de vista penal, al presidente de la República, *durante el tiempo en que funja como tal*, no se lo puede enjuiciar por traición a la patria y delitos graves del orden común, tal y como lo establece el segundo párrafo del artículo 108 constitucional. Sin embargo, al término de su ejercicio sexenal podría comparecer ante la justicia, a fin de que respondiera por delitos graves acaecidos en sus años de gobernante.

Durante esta guerra han sucedido innumerables hechos que podrían constituir delitos. Los integrantes de la delincuencia organizada, obviamente, son responsables plenos de sus acciones. Simultáneamente, y como en toda guerra, existe la posibilidad de que los agentes del Estado (los miembros de las Fuerzas Armadas y las fuerzas públicas de seguridad) también hayan incurrido en hechos delictivos.

Los delitos que podrían haber cometido los agentes del Estado se enmarcan, por ejemplo, en el ámbito de ilícitos perpetrados contra el patrimonio de la Federación. Si los funcionarios no hicieron nada para detener el despojo más allá de las facultades de que estuvieran investidos para actuar, estamos frente al ejemplo típico de la complicidad, moneda de uso en las instituciones corruptas. Se da en los casos del servidor público que ejerce violencia sobre terceros a los que pretende someter a sus intereses, con lo que abre un espacio enorme a la vejación y a la humillación. En un sistema como el nuestro, la lacra del abuso de autoridad es parte ya de nuestra viscosa cultura política.

Por el homicidio tendrían que responder las personas que durante la guerra hubieran dado muerte a algún sujeto sin que concurrieran en el hecho los argumentos del crimen *per se*, esto es, la alevosía, la ventaja y la traición. La tortura, por su parte, es en sí misma la expresión nítida del mal, la complacencia, el gusto nefando en el sufrimiento del otro, y como tal debe ser perseguida, no importa quién la haya ejercido.

Perogrullo diría que una guerra trae consigo, inevitablemente, legiones de muertos, lesionados, desaparecidos y torturados, entre ellos, muchos inocentes. Sin entrar en la miseria cuantitativa, ese dolor podría adjudicarse a las partes en pugna. Al solo

enunciado de estas líneas se agrega, obvia, la consideración siguiente: ¿quién paga por los inocentes,
quién reivindica su muerte, quién los vela, quién debe quererlos para siempre por la sola y contundente
razón de que nada debían, de que tenían la conciencia
en paz y aun así cayeron abatidos? ¿Habrá manera
de evitar un llamado a cuentas a la autoridad que en-
gendró tanto dolor? ¿Quién podría detener el grito
del infortunio y de qué manera habría que proceder
para encarar un futuro huérfano? Sólo queda un camino a la vista: el alivio del hambre y la sed de justicia que padece la República, entrañable y dolida.

Consideraciones finales

Vistos los antecedentes del acceso de Felipe Calderón a la Presidencia de la República y la presunción en muchos de que luchó por su reivindicación humana y política, con las consecuencias ya descritas, habrá que aguardar un futuro ya cercano para ver qué responsabilidades se fincan ante la pérdida de tantos inocentes. Ciertamente, el asunto no es sencillo: lo espinan consideraciones éticas, el dilema de considerar o no como enemigo al delincuente que se persigue, la posibilidad de eliminar la carga penal del consumo o hasta del tráfico de drogas, la decisión sobre la magnitud de las penas aplicables, la impostergable política social integral de prevención de las adicciones y el delito…

La aplicación de la ley por la ley, cuando ésta se mira como un absoluto, puede terminar en aberración. La ley tiene su propia conciencia y mantiene líneas de comunicación con la ética. La ley no es, de ninguna manera, una isla. La ética, por su parte, contempla a la persona como una unidad indivisible, con inteligencia y sensibilidad en juego permanente, lo mismo sometida a los dictados de la razón que a los pareceres del corazón. La ley observa a la persona sin abarcar el infinito. A la ética no podría encerrársele en un expediente; a la ley sí.

Al jurista alemán Albin Eser (juez del Tribunal Penal Internacional para la ex Yugoslavia y miembro de la comisión de expertos para la elaboración del Proyecto de Estatutos de la Corte Penal Internacional), luego de su discurso de clausura para un congreso celebrado en Berlín en octubre de 1999, le respondió el maestro Günther Jakobs, entonces catedrático de derecho penal de la Universidad de Bonn, quien sostenía que había que admitir un "derecho penal del enemigo", de la siguiente manera:

[Hablar de] enemigos como "no personas" es una condición que ya ha conducido alguna vez a la negación del Estado de derecho, cualesquiera que sean los criterios que se utilicen para determinar quién es "ciudadano" y quién "enemigo". ¿Quién puede decir realmente quién es el buen ciudadano o el mayor enemigo? ¿El que por razones políticas y creyéndose que actúa por el bien común comete un delito contra el Estado y contra la libertad de otro, o el que socava la base económica del Estado aprovechando cualquier posibilidad de defraudar impuestos, cometer delito fiscal o un fraude de subvenciones?[1]

Personajes de renombre universal e instituciones con peso indiscutible en el mundo han planteado la conveniencia de revisar a fondo la posibilidad de legalizar las drogas, acción que protegería esencialmente al consumidor. Más allá de la polémica que despierta el asunto, no podría perderse de vista que el gran negocio del tráfico de las drogas deviene, precisamente, de su prohibición. Mientras más arduo resulte el combate para reducir la producción y el consumo, mayor será el encarecimiento de los estupefacientes. Así se construye un círculo vicioso al que no se le ve salida, salvo, como pensó Calderón, la lucha armada.

En estas páginas no existe, ni podría existir, justificación alguna por la abominable y persistente acción del crimen organizado. Hemos pretendido, simplemente, incursionar en el tema, vista su trascendencia

---

[1] Citado por Francisco Muñoz Conde en *Los orígenes ideológicos del derecho penal del enemigo*, México, Instituto de Formación Profesional/Ubijus, 2010 (Colección Debates de Derecho Penal), p. 15.

universal y las terribles consecuencias que engendra el envenenamiento de millones de personas que pierden la conciencia y la vida en un tráfico que nadie detiene. Capítulo esencial en este recuento de calamidades, espeluznante en su simple enunciado, es el de los secuestros que proliferan, al igual que la trata de personas. La trata reduce hoy a sus víctimas al nivel de mercancías. Sin dinero, son simples cosas sometidas por la explotación inmisericorde, hechas para el negocio y aun para la satisfacción de los peores instintos de los malhechores.

En materia de secuestros, el Senado de la República aprobó una ley federal que incrementa las penas a los delincuentes; pero de poco o nada sirve una ley que aparece como recurso para acallar el reclamo social que exige avances para combatir la desdicha creciente. No están de más las reflexiones de Francisco Muñoz Conde, quien previene que "cualquier tesis que favorezca o legitime un ejercicio ilimitado del poder punitivo del Estado, por más que sólo sea en casos concretos y extremos, termina por abrir la puerta al Estado autoritario y totalitario, que es la negación del Estado de derecho".[2]

---

[2] *Ibid.*, p. 24.

Volvamos al origen del inmenso problema que hoy, de una manera u otra, padecemos todos. Felipe Calderón buscó su legitimación como presidente y equivocó el camino para lograrlo. El síntoma más grave de esta desventura es que hoy se hable mucho más del crimen organizado que de la educación, la salud, la seguridad, la justicia, la equidad, los rezagos inmensos ya comentados en un mundo que nos observa, sorprendido. Escuchemos una vez más a Luigi Ferrajoli:

...se puede hablar de populismo penal, que significa obtener consenso con un empleo coyuntural del derecho penal, como proponer ilusorias respuestas a los problemas de la seguridad; ilusoria como si el castigo fuera una varita mágica que pueda eliminarlos. Nosotros debemos ser conscientes de que el derecho penal es necesario, la respuesta penal es necesaria, pero no puede resolver problemas como la criminalidad de la calle. La sola política de prevención de la criminalidad de la calle no es una política penal; es una política social, es una política de pleno empleo, de educación, de subsistencia mínima, de los mínimos hospitales sin los cuales se producen las condiciones de la delincuencia de la calle...[3]

[3] Luigi Ferrajoli, *op. cit.*, pp. 50-51.

La respuesta del crimen organizado a la fuerza militar no se hizo esperar. Beatriz Eugenia Ramírez Saavedra ha escrito al respecto:

> Baste preguntarse, por ejemplo, ¿cuáles son los costos y efectos no deseados del endurecimiento de las políticas y acciones en materia de seguridad pública? Con mayor precisión, ¿cuánta de la violencia recientemente desplegada por miembros del crimen organizado en contra de agentes de la fuerza del orden público no ha sido, en mucho, una reacción motivada por el endurecimiento de las "medidas de policía" efectuadas, muchas de ellas, con la participación de las Fuerzas Armadas?[4]

No habría manera de negar la existencia de organizaciones criminales que asolaban a la sociedad por medio de la intimidación brutal y también el asesinato a mansalva. Registrado el hecho preciso, se reconoce que a partir del comienzo del gobierno panista se ha venido descomponiendo, aún más, la vida elementalmente civilizada en el país. Nos parece que no hay quien pudiera oponerse al enfren-

---

[4] *Ibid.*, pp. 69 y 179.

tamiento con el crimen organizado. Este punto no se discute, pero sí la forma en que se ha encarado el problema y la manera de ir viviendo jornadas más y más dolorosas.

Felipe Calderón optó por la violencia, que legitima. Paralelamente, dio forma a un sistema de sanción inmediata contra el crimen organizado en términos absolutos. Este sistema de castigo abate a nuestro sistema penal. Y en la estrategia están presentes, incondicionales, los medios masivos de comunicación. Francisco Muñoz Conde ilumina el tema:

> ...incluso admitiendo el carácter puramente belicista de ese derecho penal del enemigo, como una especie de derecho penal de la guerra o en guerra, en el que vale todo con tal de ganarla, hay que señalar que también aquí rigen (o deberían regir) una serie de principios que van desde la exigencia de que la guerra sea justa y no de agresión, hasta la necesidad de que se respete a la población civil y que los soldados prisioneros del ejército enemigo sean tratados como personas...[5]

[5] *Ibid.*

En esta devastadora realidad, se van conociendo más y más pormenores acerca de la inmolación de muchos miles de mexicanos y una suma creciente de ciudadanos extranjeros que creyeron en la solidez de nuestras instituciones, hoy en entredicho. Los muertos a los que se quiere despojar de su rostro por la simple sucesión del tiempo están en la historia y acusan precisamente a partir de su inocencia imbatible.

Es cierto que México es más fuerte que todas las desdichas que pudieran caerle encima, pero también es cierto que los muertos no reviven ni los desaparecidos reaparecen: los inocentes no vuelven a nuestro lado. ¿De qué manera podría enfrentar Felipe Calderón la enorme deuda que ha contraído con la República, vistos los cementerios que ha abierto desde el día en que lanzó a las Fuerzas Armadas contra el crimen organizado?

El tiempo abrió ya su propia pausa. Habrá que esperar.

¿Guerra?

El miércoles 12 de enero de 2011, en el Campo Marte, en el marco de los llamados "Diálogos por la seguridad", Felipe Calderón rechazó que en algún momento de su administración haya usado la palabra *guerra* para referirse a la estrategia de combate contra el crimen organizado: "Yo no he usado (y sí le puedo invitar a que, incluso, revise todas mis expresiones públicas y privadas)... usted dice: usted ya eligió el concepto *guerra*. No. Yo no lo elegí", respondió Calderón, con sus cejas arqueadas, a Miguel Treviño Hoyos, director del Consejo Cívico e Institucional de Nuevo León, quien le había dicho de manera directa: "Señor presidente, si ya eligió usted el concepto de guerra para definir lo que estamos viviendo, no puedo imaginar tarea más importante para el comandante supremo que asegurar la unidad de propósitos y la coordinación de todas las instancias públicas que participan en ella".

Al hacer alusión a ese pasaje periodístico, el reportero Gustavo Castillo publicó al día siguiente, en la página 7 del periódico *La Jornada*, al menos tres momentos distintos en que Calderón había echado mano de la palabra *guerra* para referirse a su estrategia contra el crimen organizado. El 5 de diciembre de 2006, durante una reunión con empresarios españoles, Calderón aseguró que trabajaría para ganar la guerra a la delincuencia; el 20 de diciembre de 2007, durante un desayuno con integrantes de la Secretaría de Marina con motivo del fin de año, señaló: "la sociedad reconoce de manera especial el importante papel de nuestros marinos en la guerra que mi gobierno encabeza contra la inseguridad, que es de las mayores amenazas para el presente y futuro de México", y en la página web de la Presidencia de la República el periodista encontró una referencia más: el 12 de septiembre de 2008 al encabezar la ceremonia de clausura y apertura de cursos del Sistema Educativo Militar: "En esta guerra contra la delincuencia, contra los enemigos de México, no habrá tregua ni cuartel, porque rescataremos uno a uno los espacios públicos, los pueblos y las ciudades en poder de malvivientes, para devolverlos a los niños, a los ciudadanos, a las madres de familia, a los abuelos".

Más tarde, en su página de internet, la revista *Nexos* mostró más citas en las que Calderón empleaba a la palabra *guerra*: con el título "Una ayudadita de memoria para Felipe Calderón", reprodujo lo publicado el 31 de enero de 2011 en el periódico *La Razón* por Carlos Bravo. Se trata de una serie de declaraciones hechas por Felipe Calderón y que fueron retomadas de la página de la Presidencia de la República, en las que el mandatario usaba el término en varios contextos; no siempre para referirse al combate oficial contra el crimen organizado, es cierto, pero sí en varias ocasiones, incluso refiriéndose directamente a la cuestión de si usa o no a menudo la palabra. La evidencia expuesta por Castillo, Bravo y *Nexos* era incontrovertible: el presidente Calderón no parece haber tenido nunca duda de que lo que libra es, llanamente, una guerra.

Índice alfabético

El dolor de los inocentes, de Julio Scherer Ibarra
se terminó de imprimir en noviembre de 2011
en Quad/Graphics Querétaro, S. A. de C. V.,
Fracc. Agro Industrial La Cruz El Marqués
Querétaro, México.